W9-BRW-189

COLLECTION FOLIO

le 15 Janvier 2004

Paule Constant

A Alice Kaplan

Propriété
privée

*venue à Aix
évoquer (entre autres)
le Pau de Roger Grenier
ce Pau de Paule
Constant*

Avec amitié.

Gallimard

© Éditions Gallimard, 1981.

Paule Constant est née à Gan (Pyrénées-Atlantiques). Elle est professeur de littérature française à l'Université d'Aix-Marseille III.

Son premier roman, *Ouregano*, a obtenu le prix Valery Larbaud 1980. Il se déroulait en Afrique, sous le regard de Tiffany, que Paule Constant remet en scène dans *Propriété privée*. Paule Constant a publié deux autres romans, *Balta* et *White Spirit*, ainsi qu'un important essai, *Un monde à l'usage des Demoiselles* (Grand Prix de l'essai de l'Académie française 1987).

Pour Elsa

Première partie

I

La grande fille aidait Tiffany à fixer son col de Celluloïd. Un rapide coup d'œil sur les poignets, sur les plis de la jupe. Cela allait. Il fallait se dépêcher maintenant, rejoindre les autres. Elles couraient. Par là le réfectoire, à côté les salles de bains. Elles dévalaient l'escalier. L'infirmerie, la lingerie, la chapelle, le parloir. Au fond, les classes, au bout, la salle de gymnastique. Là-bas, les cuisines. Ici, la cour de récréation.

Dans la cour les pensionnaires étaient déjà nombreuses : des petites, des moyennes, des grandes, en bleu marine, en jupes plissées, avec des cols mordant de blancheur. Il y en avait ! Par deux qui marchaient, de toutes seules le dos au mur, par groupes qui formaient des cercles si étroits qu'elles semblaient encastrées les unes dans les autres. Elles étaient partout. La grande fille avait disparu. Près de la porte, une religieuse disait son chapelet.

Interrompre une conversation ou un chagrin, s'immiscer où elle n'avait pas de place ? Tiffany se sentait de trop. Elle battit en retraite et s'approcha de la religieuse qui mâchouillait du silence, les mains dans les manches, secouée de tressaillements, les grains du Notre Père. Tiffany s'arrêta. Elle observait ce mécanisme de pendule. Elle guettait avec passion le retour des gestes. Tac, faisait la manche. La langue passait rapide sur les lèvres sèches, un soupir, le temps d'une invocation, et puis la religieuse s'assoupissait dans les je-vous-salue-Marie.

La religieuse ouvrit les bras, les mains sortirent des manches et le chapelet apparut, noir, brillant. Elle porta la croix d'argent à ses lèvres, à son front et d'un même mouvement commença de se replier. Elle allait fermer les yeux lorsqu'elle avisa Tiffany, toute proche, qui la regardait étonnée. Elle lui commanda d'aller jouer. Tiffany qui voulait rester là, lui répondit qu'elle ne savait pas. La religieuse lui dit qu'elle n'avait qu'à se faire DES CONNAISSANCES ! Sa phrase avait suspendu le geste, qu'elle acheva au ralenti. Elle se referma.

Pourquoi n'étaient-ils pas venus ? Tiffany scrutait la porte, remettant le rendez-vous à plus tard, accordant des délais, prête à patienter, n'en faisant qu'une question d'heure, un malentendu. Combien de temps accepterait-on qu'elle attende ? Son guet en se prolongeant semblerait incongru. Elle s'efforçait pour durer de ne paraître rien et surtout de n'attendre point. Le regard lancé à la porte qui s'ouvrait la dénoncerait. Elle regardait par en dessous, immobile, ou alors, au-dessus des allées et venues, pour embrasser plus

14

d'espace, arrêter dans une vision globale ceux qui devaient venir.

Il lui semblait qu'en restant près de la religieuse, un peu à l'écart, ils la découvriraient plus facilement. Elle se laissait cette dernière chance, la porte de la cour. La religieuse ouvrit les yeux, alors Tiffany s'éloigna. Elle allait jouer. Avec qui ? à quoi ? elle n'en avait aucune idée. Elle allait jouer contre elle-même, hors d'elle-même, essoufflée de peine, battue de détresse. Elle gagna le milieu de la cour. Elle coulait à pic. Dans ce flot bleu et noir qui la submergeait, elle étouffait, n'arrivant pas à faire surface.

*

Aller vers les autres, comment ? Se présenter, de quelle façon ? Son âge, son nom, jusqu'à l'endroit d'où elle venait ne correspondaient à rien que les autres puissent imaginer, à rien de réel en somme. Elle n'appartenait pas à ces villes proches ou même lointaines dont le nom est zone de connaissance, ou lieu d'intime reconnaissance. Elle n'était pas de Paris, elle n'était pas de P. Elle venait d'OUREGANO. D'où ? D'OUREGANO. Ça voulait dire quoi ? Les noms de lieu devaient avoir un sens. Tiffany était du non-sens, elle était de nulle part.

Comment sur ce passé jeter la vague lumière d'un prénom qui lui était étranger, ou celle d'un surnom trop familier, qui dans sa préciosité, définissait plus ceux qui l'en avaient affublée qu'elle-même. Marie-Françoise ou Tiffany ? Que livrer d'elle ? Du rien ou du néant, que choisir ? Il fallait pourtant en passer par là et ratifier le tout par les années d'un âge dont elle ne savait pas bien, comme l'heure, à quoi il correspondait. Le temps appartenait à un ordre abstrait qui ne la touchait pas. Il était six heures ou dix-huit heures, cela lui faisait neuf ans.

On ne lui laissa pas dire son nom jusqu'au bout. Qu'importait ici une Marie-Françoise de plus ! Quant à son âge, si elle le claironnait ainsi, c'était pour faire l'importante, pour montrer qu'elle était en avance. Et alors, qu'est-ce que ça pouvait leur faire qu'elle soit en avance... Et l'Afrique, Ougouga, comment tu dis ? Ougougou, alors ça ! On s'en moquait avec de grands rires : Tu es une négresse. Tiffany protestait, elle n'était pas une négresse. A ses oreilles, ce mot avait une résonance vulgaire, presque insultante. Là-bas, on ne disait pas les nègres, on disait les Noirs, les Africains, ce qu'on voulait, mais pas les nègres. Même les colons qui mettaient sur le bar des bustes d'ébène aux seins pointus, aux lèvres lippues, ne disaient pas les nègres, ou le disaient tout bas.

Comme l'autre avait senti que le coup avait porté, elle la désignait du doigt : Y-a-une-négresse, y-a-une-négresse ! Tiffany tourna le dos, elle demanda ici et là, à la plus proche : Comment vous appelez-vous ? Une fillette blonde lui jeta un Jacqueline quelque chose. Les autres gardèrent jalousement l'anonymat. Ça te regarde ? Tiffany ne les revit pas, ce qu'elle avait dit était inutile, tout en la signalant d'une autre façon à celle qui la nommait la négresse. Ainsi, elle vouvoyait ! Tiffany était une négresse qui vouvoyait, une Sixième de neuf ans QUI-SE-PRENAIT ! En ouvrant la bouche, Tiffany avait bouleversé un monde, organisé une résistance, provoqué son enfer. Là-bas, la porte restait close.

*

Le jour s'éteignit dans une nuée de cloches. Elles tonnaient au-dessus de sa tête, elles bondissaient dans sa poitrine, terrifiantes, grosses de bruit, martelantes, une fin du monde. La chapelle soutenait le couvent et le mur du chœur limitait la cour de récréation. En levant les yeux, Tiffany aperçut les vitraux que protégeaient des treillages. Quels ballons se seraient perdus si haut, sinon ces baudruches aux couleurs acides qui s'échappaient d'une main à demi ouverte, tout droit, filant irrésistiblement vers le ciel ?

Pour les pensionnaires, l'appel ne tombait pas du ciel, il était signe, ordre, quotidien. Elles se mirent en rang. De proche en proche des cloches, qui n'avaient rien de divin, répercutaient l'appel avec des sonorités plus saccadées, plus maigres. Tiffany cherchait une place dans le rang, selon la taille plus que par sympathie. Elle se situa à la hauteur d'une Cinquième, puis d'une Quatrième, ne se sentant pas très petite. Elle était grande maintenant.

Elle fut refoulée de place en place, portée à la crête de cette vague bleue déjà si puissante, en avant, ce qui était une erreur, l'avant étant toujours plus compact, puis en arrière, dans la queue un peu floue faite de toutes celles qui ne ressentaient pas l'urgence de l'appel ou la nécessité du regroupement, les isolées, les frondeuses, les nouvelles. C'était là que les religieuses, instruites par une longue habitude, détectaient les signes de débandade morale, les ourlets défaits, les relents de confidence. Ce soir-là entre deux Philos qui redoublaient, on découvrit Tiffany. On la renvoya vers les petites. Et l'enfant eut une nouvelle fois à remonter le courant, à se heurter au mur sans faille des Sixièmes qui étaient d'anciennes Septièmes, ce qui leur donnait une puissance absolue. On ne peut pas, Madame, on est déjà deux ! Elles se serraient les coudes. Alors la Dame mit Tiffany au milieu, toute seule.

Remonter les couloirs, vers où ? Reconnaître la rampe, la porte, le crucifix du parloir. Son pas ralentissait imperceptiblement, assez cependant pour imprimer au rang un hoquet, le heurt avec les premières Cinquièmes, qui n'attendaient personne. Marche, lui disaient-elles, assez fort pour être entendues de la Dame, et les dernières Sixièmes se croyaient autorisées à se retourner POUR VOIR. Tout rentrait dans l'ordre lorsque la dame, alertée, répétait en regardant Tiffany : Allons, allons, en rang s'il vous plaît ! Sous le feu des regards, Tiffany rougissait.

Elle avançait entre les petites filles, les yeux sur leurs talons, attentive à mettre ses pas solitaires dans les pas conjugués. Le bois du parquet se métamorphosa en pierre, un losange noir, un losange blanc, noir, blanc, réfraction absolue. La lumière extraordinaire s'étalait, s'enflait, soudain déchirée d'un son vrillant, à son tour gonflé du piétinement des internes qui retrouvaient leurs places. Seule Tiffany, saisie par cette tonnante splendeur, restait au centre de l'allée. Elle était stupéfaite devant cette grotte somptueuse, frappée au fond de l'être par deux grands anges dorés qui déployaient leurs ailes de métal, de part et d'autre de la cène nappée de rouge liquide. Elle pénétrait dans un monde inconnu, ruisselant de lumière, de bruit et de violence, tendu vers celui qu'elle ne connaissait pas, tout-puissant, Dieu.

Elle en subissait la révélation, et qu'il lui fût découvert par cet après-midi d'octobre dans les ravages que faisaient dans son cœur d'enfant l'abandon dont elle était l'objet et le menu terrorisme d'une espèce enfantine à laquelle elle ne s'était jamais frottée, qu'il naquît de la gorge d'un instrument lui aussi inconnu, dans les parfums profonds, âcres et lourds de l'encens, dans son théâtre d'or et ses velours d'opéra, la bouleversa comme une apparition.

Le prêtre tourna lentement sur lui-même, le revers de sa chasuble brillait dans les cierges, il portait le soleil à bout de bras. C'en était trop pour l'assistance. D'un même mouvement, Dames et petites filles s'abattirent. Dans un murmure enfiévré, elles disaient qu'elles n'étaient que poussière. Tiffany suivait l'ascension de l'ostensoir vers ce point où personne ne peut en supporter la vision. Le cou renversé, les lèvres entrouvertes, Tiffany admirait.

*

A peine relevées, les pensionnaires entonnèrent une chanson que veloutaient des modula-
tions enchaînées. Assise, elles étaient debout.
Debout, Tiffany les voyait s'agenouiller. Age-
nouillée, elle se relevait pour suivre le rang qui
sortait. Doucement, doucement, ordonnait une
Dame à la sortie de la chapelle. Doucement,
doucement, ordonnait une Dame à l'entrée du
réfectoire. Doucement, doucement, disait celle
des couloirs et lorsque le rang débouchait à
proximité du dortoir, en entendant le flot qui
avançait irrésistiblement, la religieuse attachée
au lieu murmurait entre deux je-vous-salue-
Marie quelques doucement, une litanie noc-
turne.

Il n'y avait rien à apprendre aux petites filles.
Elles connaissaient la Pension de mères en filles,
destinées depuis la naissance à accomplir ces
gestes qu'elles avaient peut-être répétés auprès
de leurs mères. L'une imitant l'autre les gestes
avaient perdu au fil du temps toute individua-
lité, ils étaient ceux de la Pension, ils seraient
plus tard leurs gestes de femmes, qui seraient les
modèles des petites filles, perdues là-bas au bout
du temps, les petites filles des petites filles. Tout
au plus leur pratique se faisait-elle plus vigou-
reusement chez les petites et s'amollissait-elle
chez les grandes, où l'enthousiasme se perdait.
Dans leur science toute neuve, les petites étaient

indomptables. Elles étaient bien parce qu'elles faisaient bien.

Dans la menue agitation du soir, Tiffany ne se retrouvait plus. Tant qu'il avait suffi de suivre sans comprendre, portée par le mouvement, elle s'était laissé faire. Soucieuse d'aller au même rythme, son pas s'était réglé sur les pas des autres, adoptant leur cadence rassurante. Lavabo, lit, armoire. Gant, serviette, chemise, robe de chambre, autant d'objets d'un emploi nouveau, surtout la robe de chambre. Fallait-il la mettre avant, pendant ou après ?

Dans les travées, entre les lits, les pensionnaires accroupies ou prosternées avaient entièrement disparu sous leurs robes de chambre. Quelle adresse dans ces mouvements confus, ces agitations douces, ces palpitations de laine des Pyrénées qui alanguissaient leurs gestes mystérieux. Elles dégrafaient, déboutonnaient, retiraient, enfilaient, dans une obscurité douce et chaude, presque maternelle. Debout, devant son lit, Tiffany se déshabillait.

Elles s'agenouillèrent du côté gauche et entrèrent dans leur lit du côté droit. Elles joignirent leurs mains sous le menton. *Deo gratias.* La lumière s'éteignit. Il y eut des soupirs et des sanglots. Beaucoup pleuraient. C'était normal, la première nuit, le premier jour ! Elles en avaient le droit, et même le devoir. Tiffany écoutait ces gros chagrins, ces souffrances aiguës, ces peines énormes qui agitaient la nuit, se répandant d'un bout du dortoir à l'autre. De voir les petites filles atteintes, faibles et

21

humaines, la frappa d'une angoisse plus grande que celle qu'elle avait ressentie en suivant le rang inflexible.

*

Tout près de Tiffany, à son oreille, dans l'obscurité qui les rapprochait, plus près qu'elle ne l'avait jamais été de personne, une pensionnaire pleurait. Elle se livrait avec application aux larmes qui mouillaient ses joues, aux sanglots qui soulevaient sa gorge. Par moments, elle s'arrêtait pour se moucher, avec de gros reniflements. Elle s'adonnait à son chagrin et se consolait tout à la fois, elle était l'enfant et elle était la mère. Tiffany détourna la tête de cette chose humide qui l'écœurait.

Le mouvement infernal qu'elle avait dû suivre jusque-là, et maintenant le sourd remue-ménage de la nuit, sans compter l'énorme chagrin que la petite fille épanchait à ses côtés, étourdissaient Tiffany. Là, dans son lit étroit, bien allongée, raide, le nez en l'air, les yeux clos, elle tentait vainement de retrouver sa propre vie, les sensations douces, la chaleur de ses cuisses, la tiédeur de ses cheveux. La Pension tout entière l'avait envahie, elle se noyait.

Il aurait fallu pour renaître revenir au monde passé, raviver le souvenir, saisir tout chaud un bonheur enfui, une certitude joyeuse, l'éclair d'une émotion. Mais elle ne devait pas regarder en arrière, elle portait le poids d'une malédiction. Elle ne pouvait dire maman, papa sans recevoir l'avalanche d'un malheur âcre qu'elle ne supportait pas. Elle ne pouvait même pas se tourner vers de petites choses, la place d'un objet, un ami, une bête qu'elle avait beaucoup aimée... Le passé offrait de terribles pièges, d'autant plus maléfiques qu'ils se cachaient sous d'innocents appâts, un père, une mère, un ami, une bête. Seule Tiffany savait ce qu'il lui en avait coûté, elle se doutait du prix dont se ferait payer la simple évocation de leurs noms. Une mère, un père, un ami, une bête. Une toute petite bête, une minuscule bête, lui rongeait le cœur.

Il restait l'avenir. De ce coté-là, surgissait aussi le malheur. L'avenir, ce n'était pas elle, mais les autres, et parmi tous ceux qu'elle rencontrerait, ceux qu'elle attendait. Parce que son grand-père et sa grand-mère n'étaient pas venus, elle n'avait plus d'avenir, plus de bonheur, seulement l'appréhension de ce qui avait différé et empêché leur venue. L'avenir, c'était la maladie et peut-être la mort.

Et de penser à ce qu'il adviendrait, son cœur enflait d'une telle peur qu'elle doutait de pouvoir retenir un cri. Alors elle attendait, entre passé et avenir, dans le petit rectangle de son lit, maîtrisant sa peine pour l'empêcher de déborder, jugulant son imagination et brisant ses souvenirs. Tous ses gestes avaient été d'attente, ils avaient précipité le jour dans la nuit. Elle ne souhaitait que le sommeil, l'inconscience qui la porterait jusqu'au lendemain, qu'elle vivrait anesthésiée pour retrouver la nuit, aller au bout du temps, arriver jusqu'à eux.

A côté, la petite fille en avait terminé avec son chagrin. Essuyée et bien propre, dans ce relâchement qui succède à trop de larmes, elle exhalait avec de petits soupirs la légèreté de son être en s'étonnant que Tiffany n'eût pas de peine. Elle lui demanda quand elle était rentrée. Cet après-midi lui dit Tiffany. Et ta maman ? bêla la petite fille menacée par un retour de larmes à l'évocation de ce nom délicieux. Ma mère est morte, répondit Tiffany. Quatre petits mots, une phrase parfaite, close et ronde. L'autre éclata en sanglots comme s'il se fût agi de sa propre mère, d'elle-même.

*

Les enfants s'enfonçaient dans le premier sommeil. Un grand silence ravageait le dortoir. Tiffany éveillée attendait. Poussée par une force invisible, la porte s'ouvrit. Une Dame, noire dans la nuit noire, entra et lorsqu'elle passa près de son lit, Tiffany sentit sur sa joue le courant d'air froid que d'immenses jupes déplaçaient. Elle entendit un frôlement qui était une espèce d'arasement comme si les jupes coupantes eussent en se mouvant accompli pour un ordre éternel une rectification définitive. Devant la Dame qui passait, Tiffany recroquevilla ses pieds.

Un claquement de toile comme un chat qui lape, l'infime et formidable bruit d'une allumette grattée et dans la nuit, la bougie au bras de la Dame faisait torche. Le visage de Tiffany se tourna vers la lumière. A première vue, la géante que la lumière plaquait sur le mur du dortoir avait l'apparence de la Dame quotidienne. Mais lorsque les mains, allant et venant, effaçaient l'image noire, ôtant là telle aspérité, ici telle rondeur, Tiffany savait qu'elle ne devait plus regarder. Mais comme l'animal sauvage fasciné par le feu des hommes, elle ne pouvait s'arracher à sa vision. Il lui semblait qu'elle tombait vertigineusement sans un cri.

Près de la toile de l'alcôve, les gestes de la Dame se faisaient plus courts, petits, nets. Ils devenaient plus grands, étirés dans de formidables griffes lorsqu'elle s'éloignait de l'écran. Son geste enflait comme une vague qui roule, les cheveux tombaient jusqu'au sol, une marée engloutissait le regard de Tiffany.

Les bruits étaient ceux d'une toilette féminine que Tiffany, enfant, ne pouvait imaginer chez cette femme inhumaine. Ces crachotements, ces écoulements, ce bruitage liquide l'affolait comme s'il se fût agi plus de fiole et de sang que de seau et de broc, et l'être minuscule qui surgissait à la fin de la cérémonie, blanc dans l'ombre du dortoir, lui semblait, plus que tout, menaçant. Elle n'aurait pour rien au monde appelé à son chevet cette femme, cette fée, ce vampire aux cheveux infinis. Qu'il se fût caché tout le jour sous l'habit noir d'une religieuse l'épouvantait.

La Dame blanche passait et repassait devant le lit de Tiffany, son broc plein, son broc vide à la main, Tiffany ne reconnaissait pas le broc et fermait les yeux pour se cacher. Elle les rouvrait un instant plus tard, juste le temps de happer dans un éclair de lumière blanche le grand signe de croix noir qui barrait le ciel du lit. Comme la main se posait sur le Saint-Esprit, la lumière s'éteignait.

La Dame noire qui dans le matin blanchâtre l'accueillit à son réveil niait la présence de la Dame blanche de la nuit. De la voir si grande, Tiffany se rassurait. Les rideaux de l'alcôve relevés ne montraient qu'un lit ordinaire où personne n'avait dormi et comme Tiffany à mi-voix s'entretenait avec sa voisine, la pleureuse, de la longueur des cheveux des religieuses, il lui fut répondu qu'elles n'en avaient point, les coupant ou même les rasant. Tiffany était persuadée qu'elle avait eu un cauchemar. A moins que ce ne fût un esprit, un fantôme. La DAME BLANCHE ?

*

La Pension des Sanguinaires était un château, les religieuses en étaient les Dames. Elles tenaient par-dessus tout à ce titre et se faisaient appeler MADAME, comme les grandes dames du Grand Siècle. Pour avoir été instituées sous Louis XIV, elles étaient royales, pour avoir éduqué quelques princesses, elles se trouvaient reines. Elles refusaient avec hauteur les ma-sœur qui avaient cours dans des pensionnats plus médiocres. Ici, les ma-sœur, c'était plus bas, dans les sous-sols, à la lingerie, à la cuisine, où s'agitait un peuple de servantes qui n'avaient de sœurs que le nom. Elles n'appartenaient pas au

26

même monde, n'en parlaient pas la langue, elles travaillaient et priaient dans une même foulée active, vêtues d'un bleu de prière. Les règlements avaient mis le ciel en bas.

Il était difficile d'éprouver pour les Dames autre chose qu'un respect figé et lorsqu'on était une petite fille, une terreur glacée. Rien qui rappelât dans leur tenue la faille maternelle, la miséricorde sentimentale. Elles étaient Dames, un point c'est tout, Dames et éducatrices. Leur costume, fabuleux dans sa forme et dans sa matière, en était la plus évidente justification. Du noir, de la soie, du taffetas, des mètres et des mètres de ruban brillant, cousu à petits points, à petits plis, autour d'une taille si mince et si raide qu'elle semblait prise dans une guêpière lacée serré, et puis une traîne qui courait en arrière et qu'elles ramenaient d'un petit coup sec lorsqu'elles franchissaient une porte. Du matin au soir leurs mains pâles semblaient perdues dans les bouillons des étoffes précieuses pour les retenir, les soulever, les étaler avec des craquements ou, lorsqu'elles passaient plus vite dans un couloir, dans un chuintement.

L'élégance suprême était d'avoir éliminé toute coquetterie, d'être noire pour paraître plus blanche, abstraite. Les coiffes en ogive enserraient le visage, avalaient les joues, le front et le menton, ne laissant de visible qu'un triangle. Elles avaient toutes le même visage comme elles avaient toutes le même corps, façonnées, qu'elles fussent grosses ou maigres, géantes ou naines, par le même vertugadin. Derrière la coiffe partait un long voile de mousseline. Elles étaient des mariées noires, des veuves absolues.

L'amande des visages confondus évoquait irrésistiblement les visages rongés des gisantes, leurs bouches trouées de cris effrayants, des cris de doute et de terreur, des cris de jugement dernier. Elles avaient renoncé à leurs noms civils pour emprunter des prénoms de saintes, Madame de Sainte Marguerie-Marie, Madame de Sainte Odile, Madame de Sainte Chantal. Devant les Dames sans visage, Tiffany ne doutait pas qu'il se fût agi de véritable saintes et qu'elle fût éduquée non par des Dames qui avaient connu le Roi-Soleil, mais par des Saintes, des mortes.

En face des Dames, les petites filles vêtues d'un bleu presque noir donnaient une réplique enfantine à l'ordre des religieuses. Poignets blancs, cols blancs, jupes à quatre plis. Leur uniforme n'avait rien d'approximatif. Et comme pour s'habiller ou se dévêtir, chaque Dame était contrainte à une prière, chaque pièce du vêtement étant un mystère et une révélation, il en était de même pour les enfants. Leur uniforme n'avait pas été choisi pour être plus commode ou peu salissant mais pour leur rappeler à chaque bouton — bouton et non agrafe — le sens de leur éducation. On ne se vêtait pas dans n'importe quel ordre aux Dames Sanguinaires. Les habits, porteurs d'un sens mystérieux, devaient être déposés ou utilisés avec la gravité du prêtre qui déploie et replie les linges sacrés sur la patène. Et lorsque Tiffany après avoir plié ses jupes, jupon, chemise de jour, chemise de corps, faisait glisser sa culotte, elle pouvait voir, au centre de son corps, lieu ignoré de sa féminité, l'amande pâle, son sexe de petite fille, un visage de nonne.

*

Les petites filles et les Dames étaient liées par des nœuds bien plus subtils que ceux de la simple éducation. Elles recevaient plus, elles donnaient plus. L'année scolaire n'était pas seule responsable de la partition des enfants. Le règlement intérieur et la tradition les réunissaient en familles. Étranges familles où il n'y avait que des mères et, évidemment, que des filles. Une mère avait la charge morale d'une dizaine de filles de tous âges. Dix filles n'avaient qu'une mère. Dieu faisait le père.

A première vue, rien ne distinguait une Dame d'une mère, toute Dame étant mère pour quelques-unes, toute mère étant Dame pour les autres. Elles étaient Madame et Ma Mère. Chaque fille restait, son éducation durant, sur le territoire spirituel de sa mère, défendant à quiconque n'était pas de la famille l'accès au groupe maternel. Par convention plus que par instinct, les mères repoussaient les filles qui n'étaient pas les leurs. On était dix, quel joli nombre. Dix comme les je-vous-salue d'un chapelet, avec notre mère en notre père.

Toujours à la recherche de ses grands-parents ou du moins d'un soupçon de tendresse qui pût les évoquer, Tiffany se cogna à quelques torses raides et noirs. Elle avait fait, la pauvre, le choix de la grande Dame qui était venue la chercher à l'aérogare, prêtant à la démarche une intention personnelle. Elle avait misé faux : l'Économe, la seule qui ne fût pas mère ! Avec toutes ses occupations ! Tiffany s'engagea avec une belle personne qui ne l'écouta pas : elle s'occupait des hirondelles. Tiffany qui n'était pas une hirondelle n'avait rien à faire ici. Les filles qui entouraient la Dame rirent beaucoup de la façon dont leur mère avait renvoyé l'enfant ! Chez les Dames Sanguinaires, on ne choisissait pas sa mère.

Sa mère lui fut désignée par un minuscule bouquet. Une corolle bleuâtre, trois brins d'herbe, une baie, une feuille, peu de chose, une fête. La Dame en reçut l'intention avec émotion, juste ce qu'il faut, un demi-sourire, en portant à son nez ce semblant de fleur qui ne sentait rien. Un murmure se répandit tout au long de la table. On chuchotait le nom de la Sainte, et celui de la Dame, qui étaient les mêmes bien que la Dame anoblît la Sainte et que la Sainte sanctifiât la Dame. A l'autre bout les plus grandes esquissaient le profil de la fêtée : colères, faiblesses et système de notation. Une sentimentale, dans laquelle Tiffany reconnut la grande fille qui l'avait aidée à se vêtir, ajouta le on-dit d'une histoire d'amour qui aurait jeté cette femme longue et pâle entre les bras de Dieu. A sa place, tout près, Tiffany apprit que cette Dame était Madame de Sainte Chantal.

Regarder Madame de Sainte Chantal, c'était

retrouver le bonheur, une mère noire et belle, des sœurs bleues et bonnes. Elle faisait partie des alouettes, ses hirondelles à elle. Dans le réfectoire, ce n'était que colombes, tourterelles, fauvettes, mésanges, mouettes ou avocettes. Un monde pépiant d'espèces femelles, prêtes à s'envoler, à terre toujours. De même qu'elle se félicitait d'avoir pour totem un oiseau dont elle n'imaginait ni la forme ni le plumage, Tiffany pensait avoir de la chance d'appartenir à celle-ci plutôt qu'à celle-là.

*

Tiffany observait l'attitude de la Dame en souriant de sympathie. Elle la regardait qui cherchait des yeux la sœur qui avait eu la gentillesse sinon l'originalité du petit bouquet. Une pauvre vieille se tenait à la porte de service, les yeux perdus derrière des lunettes si épaisses qu'elle semblait voir du fond d'un trou, une converse toute de bleu vêtue, portant l'uniforme de son asservissement, bavette et manchettes, les mains croisées sur le ventre où les tabliers superposés dont elle était revêtue rebondissaient.

Tiffany, éperdue d'admiration, vit le lent mouvement que fit le buste mince de Madame de Sainte Chantal pour se tourner vers la sœur. Elle la vit se déployer haute, noire, elle entendit le frisson de la soie qui frôlait la bure silencieuse. La Dame s'inclina vers la sœur et l'embrassa sans la toucher. La sœur semblait accablée de tant d'honneur, Tiffany exaltée d'être le témoin d'un spectacle sublime — Quelle leçon ! Quelle leçon ! — ne touchait plus à son assiette. Elle n'avait d'yeux que pour la Dame qui revenait à sa place, étalait ses jupes de part et d'autre de sa chaise et dépliait sa serviette. Ce n'était pas une Dame que Tiffany voyait, mais bien une véritable Sainte.

Elle voulut, elle aussi, faire quelque chose, n'importe quoi, fêter la Dame à sa manière. Dans son assiette, il y avait de la salade, elle ne douta pas que cette matière végétale ne s'apparentât au bouquet maigrelet qui avait fait tant plaisir à Madame de Sainte Chantal. Par bonheur, elle avait un cœur. Le symbole lui plut en même temps que la tendreté du légume. En lui offrant le cœur, elle la fêterait doublement. Elle hésitait, sûre d'elle-même, un sourire confiant aux lèvres. Fallait-il l'apporter ? Au moment où elle renonçait à son don, elle se leva et courut vers la Dame, le cœur aux doigts.

Madame de Sainte Chantal était en état de grâce, elle accepta le cœur de Tiffany mais le repoussa du dos de sa fourchette sur le bord de l'assiette. Les doigts huileux, Tiffany attendait que la Dame l'embrassât, la recouvrant de son aura de Sainte. Madame de Sainte Chantal lui sourit et lui répéta de revenir vite, vite, à sa place. Tiffany enjamba le banc de bois qu'elle venait de quitter avec plus de honte qu'elle ne l'aurait cru. Elle se rendit compte de l'énormité de son geste lorsque le bruit qui enflait depuis le fond de la salle lui parvint : elle était une lécheuse... et une sale.

Humiliée et déçue, penchée sur son assiette, les larmes aux yeux, Tiffany fouillait sa salade, et comme par hasard, elle trouva un autre cœur. Elle le mangea, étonnée de sa fadeur, mesurant par là que son cadeau incongru n'avait même pas le mérite de la rareté. Elle ne pouvait savoir qu'elle avait forcé chez la longue Dame l'espace étroit et maternel qu'on appelle justement cœur.

*

Tiffany n'osait plus les regarder, elle n'attendait de secours maintenant que du ciel. Le ciel n'apparaissait pas aux fenêtres du réfectoire, au sous-sol où le jour qui pénétrait par les impostes prenait une couleur de gravier. Pas de ciel dans l'ogive des vitraux où les Saints exsangues perdaient la tête dans un paradis bleu cobalt. Pas de ciel aux fenêtres du dortoir, voilées de rideaux que plaquaient des baguettes d'acier. Dehors, les murs très hauts, et les arbres derrière les murs, protégeaient le ciel des regards perdus. En classe, les vitres avaient été blanchies et la lumière qui filtrait était toute laiteuse. Tiffany comprit qu'on venait de lui supprimer le ciel.

Le temps s'écoulait sans qu'on pût en surprendre des signes tangibles si ce n'est ces dilatations et ces embrumissements, la respiration du jour, le brusque obscurcissement d'un orage, l'ombre qui bruissait, le grand silence du soleil, une attente dorée que perçait l'insupportable vibration d'un insecte prisonnier.

Tiffany qui ne pouvait pas voir, écoutait. Son

oreille se dressa aux bruits de la ville qui étaient dans le quartier des Sanguinaires des bruits de la campagne. Meuglement d'un veau. Cliquetis de chaînes. Claquements de sabots qui allaient se perdant. Roues cerclées. Chant de coq. Ébrouements de moutons. Cris d'hommes. Brouhaha. Pétarades de moteur, martèlements, cris, jusqu'à l'angélus qui sonnait dans les vrombissements des voitures. L'ange du Seigneur annonça à Marie qu'elle serait la mère du Sauveur. Un mugissement. Ainsi soit-il. Silence. La ville faisait des vagues.

L'après-midi s'assoupissait. Il y venait des oiseaux ou du vent qui agitaient les branches. Les bruits du dedans recouvraient ceux du dehors. De minuscules courses dans les couloirs, un flot de voile. Une cloche, un rire d'enfant. Un piano très loin. Et puis l'explosion d'une récréation, une avalanche de pierres dans une nuée de cris. La sortie, bruits de dedans et bruits de dehors confondus. Par la porte, la Pension déversait un trop-plein de rumeurs.

Le silence qui revenait n'était pas un apaisement. La ville qui se taisait et la Pension qui avait refermé ses portes portaient le deuil de son espoir. N'ayant plus rien à guetter, Tiffany écoutait monter en elle les menus bruits de son corps, son cœur obsédant qu'elle faisait surgir à son oreille, en retenant sa respiration. Elle l'entendait frapper très fort, plus elle l'écoutait, plus il lui semblait battre violemment. Il était partout, à ses oreilles et dans sa tête, sur ses tempes, dans son thorax, il était peut-être dans la classe, sorti par la force du bruit. Elle avait toutes les peines du monde à le retenir maintenant qu'il bondissait. Et si elle lui imprimait un rythme plus lent, ce calme qu'elle s'imposait la déchirait. Elle respirait bruyamment. Derrière elle, une pensionnaire faisait craquer ses jointures.

La pluie commença à tomber et les bruits de la ville s'éteignirent un à un, très loin d'abord avec le roulement des trains, puis de proche en proche, les cris des hommes et les appels des bêtes. Tiffany en conçut d'abord une détresse affreuse, comme si ce dernier coup du sort l'isolait davantage et puis... le crépitement doux et lancinant de la pluie sur le gravier occupa son oreille d'un son si étrange qu'elle restait là, éveillée, tendue vers cette rumeur continue, étonnée qu'elle n'eût pas de fin, persuadée qu'elle n'en aurait pas. De son lever à son coucher, chaque fois qu'elle le pouvait, elle s'approchait d'une fenêtre pour l'entendre mieux, et toujours, imperturbablement, tendrement, l'eau battait l'aire de gravier. Elle avait tué l'attente. Tiffany se sentait bien, comme si la pluie avait dilué le monde.

II

Enfin la Supérieure la fit appeler. Elle resta debout, un long moment, devant la Dame qui était assise à son bureau, sous un Christ d'ivoire dans une châsse de velours rouge, la tête penchée, affaissée en ses voiles. Une main levée dans sa direction lui interdisait d'avancer et lui commandait le silence. Dans la pièce sombre, cette main pâle brillait comme un objet. Les yeux de Tiffany allaient de la main au Christ, du Christ à la main, tous deux projetés dans la lumière.

Près du bureau se tenait aussi Madame de Sainte Chantal. Tiffany évitait de regarder de ce côté-là de peur d'y découvrir, pris dans ses linges noirs, le visage de la Sainte. Elle ne se résolvait pas à recevoir en plein cœur le souvenir de sa honte. Le visage qui émergeait de l'ombre était humain et bon. Peut-être parce que dans cette atmosphère solennelle et hostile, il était la seule chose qu'elle reconnût. La Dame souriait. Comme Tiffany, lasse d'attendre, s'agitait un peu, Madame de Sainte Chantal porta, pour lui demander d'être sage, l'index à ses lèvres. Cela fit sur le sourire une petite croix.

La Supérieure se redressa, elle était immense. Sa taille expliquait l'enroulement des toiles. Lorsqu'elle se leva ce fut comme si on hissait les voiles d'un navire. Elle alla vers Tiffany et la regarda. Elle n'avait pas de cils. Elle avait été accaparée par la rentrée et n'avait pu s'occuper de Tiffany avant ce jour. Mais elle savait que Tiffany était bien intégrée, que cette maison était déjà la sienne. Elle expliqua à l'enfant qu'elle veillait ainsi sur chacune de ses filles. Elle prononça ce mot avec un air mystérieux. Elle dit aussi quelque chose sur Dieu que l'on ne voit pas mais qui nous voit. Elle était comme Dieu.

La Dame savait tout et ce tout était terrible. Elle lui parla de ses parents, si loin, au bout du monde, à Ou-re-ga-no ? Ils lui avaient confié Tiffany, POUR SON BIEN. Elle lui dit d'une voix attristée le chagrin d'une maman qui n'avait plus sa petite fille et la peine d'un papa qui n'avait plus sa grande fille. Ils étaient infiniment plus malheureux que Tiffany. S'il y avait sacrifice, c'était le leur. Ils savaient dans leur âme que le salut de Tiffany passait par les Dames Sanguinaires. Ils renonçaient donc à venir la voir. Elle amena des larmes dans les yeux de l'enfant.

Elle lui dépeignit comme une suite ininterrompue de joies simples et pures, toutes ces années qu'elle passerait à la Pension. Dans sa bouche ce n'était qu'un enchaînement de signes bénéfiques, de bien, de souverain bien, de bien suprême. Ce serait délicieux, inappréciable, parfait. Pour obtenir ce Paradis, il fallait seulement que Tiffany le désire, même pas, qu'elle se laisse aller, qu'elle s'abandonne, sans restriction, au bien-être de cette éducation bien conduite.

Tiffany apprit qu'elle devrait une partie de ses joies futures à une certaine Mademoiselle Pauline, suivait un nom qui se chantait en roulades et qu'elle n'entendit pas. Mademoiselle Pauline avait pensé, Mademoiselle Pauline avait choisi, Mademoiselle Pauline avait préféré, Mademoiselle Pauline acceptait d'être sa correspondante. Ainsi sa vie appartenait à une inconnue. L'exquise Mademoiselle Pauline de la Pension Montmorency, la sœur de Monsieur l'Aumônier, l'amie du Colonel et de Madame Désarmoise.

Ah! Tiffany pouvait dire qu'on se souciait d'elle! Ses grands-parents, rassurés par la bonne rentrée de leur petite-fille, prolongeaient leur séjour aux eaux de Salies, cette cure si profitable à la santé de Madame Désarmoise. Ensuite ils reprendraient leurs quartiers d'hiver à la Pension Montmorency chez la bonne Mademoiselle...

Tiffany avait-elle des amies? Oui, répondit Madame de Sainte Chantal. S'habituait-elle au rythme du Pensionnat? Oui, répondit Madame de Sainte Chantal. Et le latin, l'aimait-elle? Oui, répondit Madame de Sainte Chantal. Était-elle sage? Oui, répondit Madame de Sainte Chantal. Tout allait bien alors. La Supérieure était au comble du bonheur. Tiffany le voyait, ce n'était pas bien difficile. Qu'elle continue. Que Madame de Sainte Chantal veille à ce qu'elle se tienne droite. Elle leur donna congé.

Devant la porte de l'étude, Tiffany s'arrêta. Que voulait-elle ? N'était-elle pas heureuse, rassurée sur le sort de tant d'êtres chers ? L'enthousiasme de la Supérieure semblait s'être communiqué à la Dame. Les lèvres de la petite fille se mirent à trembler : C'est quand l'hiver ?

*

L'attente était revenue, violente et nue, tendue vers le but, cet hiver confus. Elle ne se modérait pas d'angoisse, elle était une force irrépressible, une volonté infinie, un sentiment brutal, une nécessité physique. Elle jaillissait avec d'autant plus de virulence qu'elle ne s'était jamais vraiment éteinte, seule la force du désespoir l'avait masquée un moment. Elle explosait de certitude.

Être aux côtés de Mademoiselle Pauline, la suivre le long de la promenade improvisée ce dimanche de sortie, était déjà aboutir, toucher à l'hiver. Marcher près d'elle ou derrière elle, pour y arriver. Pourtant ce fut au ralenti qu'elles pénétrèrent dans le parc, par l'allée centrale qui conduisait au kiosque à musique. Elles passèrent sur un pont japonais qui enjambait un ruisselet né des eaux d'écoulement d'une mare. Le lac ! dit Mademoiselle Pauline. Des cygnes ! Comme cela était beau, ils étaient blancs comme neige. Tiffany ne les trouvait-elle pas blancs comme de la neige ? Une plume allait au fil de l'eau. Oh, un flocon !

Sur l'autre rive, un enfant lançait du pain. Les cygnes, qui avaient beaucoup espéré de Mademoiselle Pauline et de Tiffany, filèrent. L'eau glauque s'agita, le remous d'un poisson, une palpitation d'insecte. Un canard brun sortit d'un bosquet et se précipita du côté des cygnes. Il n'y avait plus d'animaux à regarder. Mademoiselle Pauline entraîna Tiffany vers les rocailles, sous le Palais d'hiver, un circuit qui ne faisait qu'emprunter les différents sentiers du parc. Tous aboutissaient au kiosque. Maintenant qu'elles l'avaient rejoint par trois fois, Tiffany pensait que la promenade allait s'achever. Mais Mademoiselle Pauline, qui n'avait pas fait son plein de beauté, la conduisit sur le boulevard des Pyrénées, sûre du choc que ne manquerait pas de produire sur l'âme de l'enfant la vision de la montagne. Elle avait gardé le meilleur pour la fin.

Par cet après-midi d'automne, les montagnes s'éteignaient dans la brume, seuls les pics émergeaient de l'irréalité. Quelle chance de les apercevoir tous ! On défilerait le long de la chaîne, en marchant on croiserait les montagnes. Mademoiselle Pauline soupirait de plaisir : Tiffany voyait-elle ces fronts altiers, sentait-elle la beauté de ces mondes inviolés, comprenait-elle que ces cimes touchaient les étoiles ? Elle se renferma un instant pour ce qui devait être un hymne de joie à la création. Puis ses préoccupations devinrent plus géographiques. Elle dési-

gnait une à une les montagnes par leur nom.
Quand elle se trompait, elle refaisait tout le
rang. Et ça te fait penser à quoi ? demanda-t-elle
à Tiffany pour lui arracher une belle image. A
des dents de loup, répondit la petite fille. Là-bas,
c'était déjà l'hiver.

Elles s'enfoncèrent dans la ville, entre les
maisons grises. Comme les trottoirs étaient
étroits, Tiffany suivait Mademoiselle Pauline
dont elle voyait le large dos noir et, sous le
chapeau de crin, l'étrange chignon rouge. Cela
faisait dans la grisaille une sorte de lumière, un
phare qui accrochait le regard. Elles passèrent
devant une église. Quelques pigeons tombèrent
du clocher. Elles s'arrêtèrent devant un magasin
d'articles de piété. Entre les missels, on avait
déployé des chapelets, des statuettes. Mademoiselle Pauline trouvait que le moderne aussi
pouvait être beau, moins pour les crucifix dont
elle aimait voir les épines, les clous, les gouttes
de sang, que pour les Vierges, dont un seul S
formait à la fois la tête, le voile et les épaules. Je
t'en offrirai une, pour ta communion.

*

Derrière l'église devait se trouver la Pension
Montmorency. Tiffany crut à une erreur en lisant
sur la façade de la lourde bâtisse, entre chaque
fenêtre, les lettres d'un rouge délavé qui disaient
HO. TE. L. DU. GA. VE. Et bien que tous les
regards, comme celui de l'enfant, fussent attirés
par ces lettres géantes, Mademoiselle Pauline

niait ce qui sautait aux yeux, insistant sur le nom de Montmorency, le répétant plus souvent que la conversation ne le demandait, le désignant toujours ainsi, le faisant entrer dans la tête de ses visiteurs et fournisseurs à la façon d'une femme qui changeant de prénom n'a d'oreille que pour celui qu'elle s'est choisi et ressent comme une injure tout ce qui lui rappelle l'ancien. Et si on lui demandait : Mais pourquoi Montmorency ? elle répondait que c'était plus anglais.

Tiffany apprit à dire Montmorency et Mademoiselle Pauline. Pas Paule, ni Paula, ni Paulette mais Pauline. En revanche la vieille fille essaya sur Tiffany des Fanny, Fanette, Fanchon et revint à Tiffani-e, comme le mieux, c'est-à-dire le plus joli. Les choses étant arrêtées, elle découvrit à la petite fille le monde de la Pension Montmorency, qui n'était pas différent de celui des Dames Sanguinaires. Grande maison, grand parc sous des arbres, même clôture, un mur haut et aveugle. Il y passait de vieilles personnes, quelques malades qui se plaignaient de l'humidité du soir. On y faisait silence.

Elle tint la petite fille dans le salon de réception. Elle y accueillait ses hôtes, ceux qui revenaient d'un petit tour en ville et dont elle exagérait la fatigue, ceux qui revenaient pour l'hivernage après une absence trop prolongée. D'un accent très doux, elle modulait une longue plainte, son unique commentaire sur les ravages dont un pensionnaire, parti bien portant, avait souffert en quelques mois de vacances. Elle gémissait devant les dames enchapeautées et les messieurs essoufflés par le poids des valises qu'ils avaient traînées.

Ils disaient leur gratitude à Mademoiselle Pauline. Elle se rengorgeait en leur trouvant déjà des couleurs. Ils s'asseyaient et passaient en revue le monde de la Pension. Le Docteur Cazenave passait-il tous les jours ? Comment allait le Père Jean ? Il se fatigue, il se fatigue, se plaignait Mademoiselle Pauline. Le périple qui l'avait mené à travers la Chine semblait moins éprouvant que le long itinéraire qui chaque matin le conduisait de la Pension Montmorency à la chapelle des Sanguinaires en passant par l'église, juste derrière. Elle craignait les dimanches comme la peste, il venait à peine d'en finir avec la Toussaint, et Noël qui se profilait déjà ! Enfin, elle évoquait les pensionnaires, ceux qui étaient revenus, ceux qui n'avaient pas quitté la pension et, les sourcils levés vers le plafond, ceux qui ne reviendraient plus. Cette note pessimiste ne pouvant être effacée par aucune bonne nouvelle, elle se signait.

Ils remarquaient Tiffany, Mademoiselle Pauline la leur présentait : La petite-fille du Colonel et de Madame Désarmoise. On sentait, à l'entendre, qu'elle aimait les grands-parents de la petite fille, sans qu'on sache si c'était pour eux-mêmes ou pour leur nom qu'elle trouvait chic. Les pensionnaires demandaient de leurs nouvelles et, court-circuitant les générations, parlaient de bonne-maman et de bon-papa. Tiffany se sentait l'enfant de ses grands-parents. Et puis comme elle ne disait rien, ils demandaient : Est-ce qu'elle est sage ? Mademoiselle Pauline répondait par l'affirmative. Tiffany avait, comme ils disaient, avalé sa langue. Alors ils s'ébrouaient et faisaient mine d'aller dans le parc. La vieille fille le leur interdisait. Il était trop tard.

Tiffany devait rentrer. Mademoiselle Pauline la raccompagnait. La nuit tombait et c'était toute une affaire de traverser la ville. La Pension semblait très loin maintenant que la lumière, au fur et à mesure que l'on s'éloignait du centre, devenait moins vive, plus diffuse, projetée seulement par des lampadaires. Tiffany comprit que l'on était proche à une certaine qualité de silence troublé par des cris d'animaux, ces bruits de la campagne. Rue des Sanguinaires, place des Sanguinaires. Savait-elle pourquoi on appelait ce quartier les Sanguinaires ? Rien de terrible. Le marché aux bestiaux, les abattoirs.

*

Les portes se refermaient les unes après les autres comme des trappes dont elle n'avait pas le chiffre. Elle se distrayait comme elle pouvait, en feuilletant les livres gris, les cahiers blancs. En regardant dessous et dessus, en faisant tomber sa gomme, en laissant aller sa tête vers le sol. Elle aimait bien cette impression de monde à l'envers, dans l'embrumissement du sang qui lui descendait dans le crâne. Elle restait toujours quelques minutes à sentir l'espace se troubler, les jambes se confondre, la classe s'effacer. Elle étouffait, au bord de l'évanouissement. Lorsque le cours durait trop, elle ne négligeait pas d'avoir recours à ce petit plongeon dans le vide. Avant que sa tête ne s'embrase, elle enregistra le spectacle remarquable de deux chaussures rouges.

Il n'était plus question de perdre conscience, mais de regarder, elle revint à la surface, reprit un peu d'air et replongea vers la gomme qui était toujours à terre. C'était bien des chaussures rouges. Au milieu des souliers marron ou noirs, il y avait, scandaleuse, une paire de chaussures d'un rouge coquelicot, brillantes, vernies. Elle ressentit un plaisir infini devant une couleur qu'elle n'avait pas aperçue depuis les derniers martyrs et encore, celle de l'église était-elle plus sombre, tirant sur le vin ou sur le sang. Ici, la couleur était gaie, pure, comme celle du tube de vermillon quand il avait crevé. Une merveille.

La leçon pouvait s'éterniser, Tiffany avait à faire sous la table. Elle aurait voulu rester l'heure entière les yeux sur les chaussures. Elle ne le pouvait pas car elle devait protéger son secret. Deux ou trois fois, elle eut recours à la gomme, elle envoya choir un crayon, un buvard. Elle se fit rappeler à l'ordre. Alors elle changea de tactique et jeta un coup d'œil oblique dans la direction de la propriétaire, une fillette au visage mince. Son regard descendit jusqu'au bas du bureau, et elle vit un fragment de rouge, elle replongea.

Ces chaussures étaient ravissantes. Elles avaient une forme de ballerines, avec un petit talon bobine et un nœud de tissu soyeux sur le devant. Des souliers de bal, pensa Tiffany. Des pantoufles de vair, des escarpins! Elle n'avait jamais rien vu de semblable. Elle ne pouvait imaginer qu'on pût les acheter dans un magasin. La fillette, banale, se trouva investie de toute une vie mystérieuse de plaisir. Tiffany aurait voulu ouvrir le tablier, soulever la jupe, pour voir si là aussi il ne restait pas dans une dentelle, un ruban, un relief de fête ou de bal. Inconsciente de l'admiration que ses pieds suscitaient, la petite fille avait croisé les chevilles. Elle se comportait avec ses chaussures comme s'il se fût agi de quelque chose de normal. Elle ne se rendait pas compte.

Le manège de Tiffany dérangea le Professeur qui lui demanda ce qu'elle avait, à la fin! Tiffany gardait le silence. Et comme on la forçait de s'expliquer, à court de mots, elle désigna du doigt les chaussures qui débordaient dans l'allée. Et alors? demanda la maîtresse et puis se tournant vers les chaussures: Alors, Mademoiselle Soulé-Susbielle, vous n'êtes pas en uniforme? Toute la classe bruissait d'indignation. Quelle rapporteuse, tout de même! On plaignait la petite fille.

Tiffany se traîna dans la cour pour y entendre son arrêt. Mais qu'est-ce que tu cherches, lui demanda Mademoiselle Soulé-Susbielle, tu voulais me faire gronder ou quoi? Tiffany baissait les yeux sur les chaussures. Les autres vinrent chercher la victime. Laisse-la. Elles firent semblant de ne plus voir Tiffany, elles admiraient les

chaussures et se disaient leurs couleurs préfé-
rées. Si elles me le demandent, pensait Tiffany,
je ne leur dirai pas rouge, je leur dirai bleu. Elles
ne le lui demandèrent pas.

*

Tiffany se trouvait plus à sa place parmi les
Dames lointaines et sévères, qui par leurs attitudes ne faisaient que concrétiser les tendances
naturelles des grandes personnes, également
sévères et lointaines, qu'au milieu des petites
filles dont les intentions et les mobiles lui étaient
parfaitement inconnus. Elle ne pouvait imaginer
que les enfants soient semblables à elle. Et si son
aspect soigneusement rectifié par le costume
pouvait faire illusion, Tiffany savait qu'il n'en
était rien, au fond. Il est plus difficile d'être un
enfant étranger qu'un étranger adulte. Les
enfants ont entre eux des conventions redoutables, un ciment d'usages féroces, une pratique de
modes implacable. Il n'est pas bon d'être l'autre.
   Les récréations, surtout les récréations, lui
étaient pénibles. Elle n'osait se soustraire à
l'ordre de jouer que lui donnait la Dame surveillante de peur de se l'aliéner, et elle savait que
toute tentative d'intégration serait repoussée.
Les récréations se passaient à faire semblant de
jouer pour ne pas mécontenter la Dame et à ne
pas jouer pour ne pas irriter celles qui jouaient.
Elle jouait à jouer, à la frange des jeux. Elle
mimait les mouvements du ballon prisonnier,
c'est-à-dire qu'elle cherchait à éviter, bien au-

delà des tracés, un ballon qu'on ne lui enverrait pas et qu'elle ne risquait pas d'attraper. Un pas à gauche, un pas à droite et on se retourne, comme elle le voyait faire. Et puis elle remarqua que les prisonniers avaient un rôle plus statique, de part et d'autre du rectangle du jeu. Elle pouvait se mettre en prison et attendre sans bouger l'heure de la classe. Mais là aussi, elle dérangeait. Une prisonnière l'accusa de l'avoir troublée par sa seule présence : C'est ta faute ! Tiffany rapportait le ballon qui s'égarait.

Avait-elle maîtrisé un jeu, il se démodait. D'un jour à l'autre, elles ne voulaient plus y jouer. Ah non ! pas ça, c'est bête. La veille encore, elles s'y adonnaient avec férocité, aujourd'hui, il n'en était plus question. Volubiles, les meneuses expliquaient le nouveau jeu. Tiffany pensait qu'avec du neuf, elle apprendrait en même temps que les autres. Elle avait ses chances, elle se mêlait au groupe, elle essayait de comprendre. Mais ces jeux étaient rarement inédits, la plupart du temps il ne s'agissait que de reprises. Elles l'avaient toutes en mémoire, il était inutile d'en revoir les règles. Elles étaient d'accord, cela les avait amusées, cela les amuserait. Tiffany, restée sur sa faim, était déclarée incompétente. Parfois aussi, ces jeux n'étaient que des adaptations d'autres plus usés. Celle qui les proposait se faisait vite interrompre : C'est comme pour le cochon pendu alors ! ou : C'est pareil que la poule à trois pattes ! Tiffany ignorant l'un comme l'autre était de nouveau exclue.

Souvent l'excommunion de Tiffany ne tenait

qu'au côté matériel du jeu. Il ne s'agissait pas toujours d'un objet rare ou prestigieux comme un ballon. C'est son ballon! C'est mon ballon! Il fallait à toute force posséder un bout de ficelle pour faire des toiles d'araignée, ou un fil élastique à passer entre les pieds et à défaire par une série de sauts et de sursauts. Avait-elle l'objet qu'on lui abandonnait, c'était d'un autre qu'elle avait besoin, et elle restait toute bête l'élastique entre les jambes, alors que la cour allait au rythme d'une corde à sauter : Le Palais-Royal est un beau quartier où toutes les filles sont à ma-rier. Mademoiselle Nicole est la préférée de Monsieur Pascal qui veut l'épouser. Tiffany n'y entendrait jamais son nom.

Avec le soleil, on jouait à papa-maman. Il fallait construire une maison, en tracer les contours sur le gravier avec un bâton : le salon, la cuisine, la salle à manger... Des dizaines de foyers s'élaboraient sur le sol. Après, soigneusement, on élevait des murs, c'est-à-dire que l'on ramenait le gravier sur la ligne. On meublait. Ce jeu durait de récréation en récréation. La maison édifiée, on répartissait les rôles. Les meilleurs, le papa et la maman, étaient pris d'office par les constructrices, il y avait la bonne et les bébés à pourvoir. La bonne avait le droit de balayer à l'intérieur des carrés et de se faire attraper, c'était assez agréable. Mais être bébé était carrément odieux, et les bébés n'acceptaient pas leur rôle sans avoir la certitude qu'ils seraient à leur tour papa et maman. Quand on le lui proposait, Tiffany acceptait sans discuter. Elle restait dans un carré pendant que les parents faisaient des visites. Elle avait parfois mission de faire semblant de pleurer. Alors la maman avait ses nerfs et disait que ce bébé était insupportable et elle menaçait Tiffany de la fessée.

*

Les cours, la classe disaient les petites filles, n'échappaient pas au caractère conventionnel des jeux. Tiffany rêvait d'une année neuve, à l'écart des autres, séparée et non incluse dans un système qui voulait, comme dans la religion, que l'on portât le poids de la faute originelle. Ici les années se succédaient, indissociables dans le passé, liées dans l'avenir. Le monde où Tiffany tentait de vivre était hermétiquement clos, sans la moindre fissure où se glisser pour prendre le train en marche. Non, tout se tenait, l'enfance et l'âge adulte, l'Afrique et la France et maintenant voilà que le temps, par quoi elle pensait se sauver, appartenait au même monde. Grandir n'était pas se transformer mais continuer. Ses cartes faussées, Tiffany était mal embarquée.

Le travail de Tiffany était double. Alors que les autres se contentaient de progresser ou de piétiner, Tiffany devait faire front en comblant ses LACUNES et en bouchant ses TROUS. Car son savoir ne fit pas une durable illusion aux Dames Sanguinaires. Une grammaire défectueuse lui rendait difficile l'apprentissage du latin, le latin l'empêcherait d'étudier le grec, quant à l'anglais il était son propre obstacle, allant, Dieu sait par quelle fâcheuse mutation, jusqu'à déteindre sur l'espagnol qu'elle avait du mal à prononcer.

Pendant que les autres voyageaient, fortes de leurs bons départs, Tiffany dérivait sur des manques sans limites qu'elle ressentait comme des péchés. On lui en tenait rigueur, mettant en doute qu'elle eût accédé à cette classe. Le Professeur irrité lui lançait : Mais d'où venez-vous ? ou lui demandait : Où avez-vous donc passé votre examen de sixième ? Lorsque Tiffany répondait qu'elle avait suivi l'école laïque et que cet examen, elle l'avait passé en Afrique, l'ambiance se détendait. En Afrique ! Vous m'en direz tant ! A l'école laïque ! On se disait aussi !

Tiffany se sentait vaguement excusée d'être différente parce qu'il lui semblait qu'elle l'était de façon tragique, contre son gré. S'il n'avait tenu qu'à elle, les Dames le savaient bien, elle aurait suivi depuis le début cette école religieuse et française. Ses parents l'avaient emmenée en Afrique, elle était une sorte de victime. Et l'on se préoccupait beaucoup de son aspect de non-éduquée, laissant pour plus tard, c'est-à-dire pour jamais, sa réalité de mal-aimée. Pour avoir été mises en cause, l'Afrique et l'éducation laïque attirèrent sur elle l'attention des autres petites filles. Il ne s'agissait pas d'une attention passionnée mais d'un intérêt un peu malsain que l'on avouait d'une petite voix dégoûtée, avec l'air de ne pas y toucher : C'est vrai que tu viens d'Afrique ? Tiffany se sentait brusquement importante. Et l'autre ajoutait d'une voix étouffée en ricanant : C'est vrai qu'ils sont tout nus là-bas ?

Oui, ils étaient nus, là-bas. Les femmes et les hommes. Et on leur voit le...? Non, on ne leur voyait pas le... Tiffany sentait la déception d'un auditoire qu'elle ne voulait pas perdre, alors elle transigeait, on le voyait quand ils se lavaient. Ils se lavaient dehors? Est-ce qu'elle l'avait vu? Il fallait tout leur apprendre, tout leur dire. De sexuelle, la conversation devenait culinaire parce que, en ce domaine, Tiffany pouvait arracher à son auditoire plus de erk et de beurk qu'avec tout le reste. Elle racontait des histoires de serpents bouillis, de crapauds crevés, de cancrelats frits, sans soulever beaucoup de répugnance. Ça, elles le savaient, elles l'avaient lu dans les contes de fées. Tiffany pressentait que si elle se contentait de l'exacte vérité, elle ne les retiendrait pas, alors elle inventait des histoires horribles. Les autres la poussaient : Tu en as mangé, toi, de la chair humaine ?

Elle n'avait pas mangé de chair humaine, mais elle avait contracté de terribles habitudes. Elle pouvait avaler un piment. Comme ça! Les petites filles, qui n'avaient jamais goûté au piment, n'étaient pas stupéfaites. C'est du poivre, très très fort. Comme il n'y avait pas de poivre sur la table du réfectoire, elles la mirent au défi de manger du sel. Tiffany versa une demi-salière dans le creux de sa main et commença de l'avaler. Les expressions d'horreur la réconfortaient, elle faisait mine d'adorer le sel, de ne pouvoir s'arrêter. Si on ne la lui enlevait pas, c'est toute la salière qu'elle viderait. Alors que les autres, ne s'occupant déjà plus d'elle, étaient retournées à leurs préoccupations quotidiennes, elle se léchait avec application la paume, la bouche en carton.

Elle fit de sa différence une originalité. Elle décida qu'elle aimerait tout ce que les autres n'aimaient pas, pour être la plus forte. Elle se faisait servir de pleines assiettes de lentilles, elle donnait son chocolat mais réclamait du vinaigre à la place de la vinaigrette. Les goûts que Tiffany affichait n'étaient guère difficiles à satisfaire, on les lui accorda. Elle aimait les lentilles et le vinaigre, elle en aurait. Devant les petites filles qui croquaient leur chocolat, Tiffany faisait semblant de se délecter avec du pain trempé dans du vinaigre, s'engageant par là dans un processus diabolique, car il ne serait plus question de revenir en arrière, pouce !, de peur de perdre la face. D'ailleurs, les autres s'étant vite habituées à une originalité qu'elles jugeaient confortable lui prenaient son chocolat : Puisqu'elle n'en mange pas ! ou déversaient dans son assiette le contenu de la leur : Puisque tu aimes ça !

*

Dans le sillage de Madame de Sainte Chantal, Tiffany découvrit que le couvent comportait des lieux de silence, des places intimes, des recoins protecteurs. Elle allait quelquefois dans l'infirmerie blanche où, cachée par des rideaux, agonisait une vieille sœur, dans une odeur tendre et amère de camomille. Elle se tenait aussi dans l'embrasure de la porte de la salle de Communauté dont une main solide défendait l'entrée. De l'entrebâillement s'échappaient des voix joyeuses, des exclamations, des rires. Elle demandait Madame de Sainte Chantal. Les voix, de l'autre côté, s'apaisaient. La porte s'ouvrait : Votre fille.

Elle était la fille de cette Dame qui jouait à la mère. Jamais Madame de Sainte Chantal n'était si maternelle que lorsque entourée de ses compagnes, dans un moment où elle délaissait ses fonctions éducatives, elle apercevait Tiffany. Elle s'arrêtait net et offrait à l'enfant un sourire, la forme un peu étirée de ses lèvres. La Communauté tout entière se retournait pour regarder Tiffany. On félicitait Madame de Sainte Chantal, Tiffany baissait la tête, la Communauté s'ébranlait dans un ample mouvement de voiles et de traînes. Madame de Sainte Chantal restait en arrière, son visage avait changé. Qui lui avait donné l'autorisation de venir ? Que faisait-elle ici ? Elle repartait sans un regard. Tiffany, aux anges un instant plus tôt, pensait avoir déplu.

Si mère il y avait, Madame de Sainte Chantal se faisait une bien curieuse idée de la maternité. Si fille il y avait ce serait dans l'ordre du rejet. Tiffany ne doutait pas que ces attentions négatives fussent bonnes pour elle. Et si parfois elle sentait une boule se former dans sa gorge, comment résister à Madame de Sainte Chantal, qui s'agenouillant brusquement pour être à sa hauteur, lui prenait les mains et forçait son regard : Vous comprenez, enfant, tout cela est pour votre bien, votre bien ! Elle la secouait un peu pour la persuader : J'ai mal de vous faire mal, vous comprenez ? Elle se relevait et donnait ses ordres d'un ton si dur que Tiffany n'était plus très sûre d'avoir vu des larmes dans ses yeux. Elle pensait que c'étaient ses pleurs qui, en brouillant sa vue, avaient du même coup troublé le regard de la Dame.

Madame de Sainte Chantal devait être ce qu'on appelait une mère spirituelle, qui diffère d'une mère normale en ce qu'elle agit au nom de Dieu. Madame de Sainte Chantal investissait l'âme de Tiffany. A cette heure vacante de la journée où les enfants cultivaient leurs dons, Tiffany apprenait son catéchisme. De part et d'autre d'une table, la femme et l'enfant échangeaient un vocabulaire obligé qu'elles ne devaient comprendre ni l'une ni l'autre, en tout cas que ni l'une ni l'autre ne pouvaient entendre dans un sens commun. La Dame récitait les questions, Tiffany répétait les répons. C'était mal si le cœur s'en mêlait, c'était bien si la mémoire faisait son travail. On savait ou on ne savait pas. La Dame, qui savait tout, n'avait pas de réponse, l'enfant, qui ne savait rien, n'avait pas de questions. Tel était l'ordre de cette affection-là.

Tout fut bouleversé, le jour où Madame de Sainte Chantal sortit de sa poche ce qui paraissait n'être qu'une boîte de compresses. Elle l'ouvrit, et saisit cette membrane translucide qu'est une hostie. Elle l'éleva entre le pouce et l'index, bien haut dans la lumière, avec un geste de prêtre. Tiffany resta atterrée, se sentant indigne, d'une indignité absolue, révoltée aussi que les règles n'aient pas été respectées. Ce n'était pas ainsi qu'il fallait communier. Mais qu'allait-elle chercher, il n'était pas question de communion, mais de travaux pratiques ! Cette hostie n'était qu'un vulgaire bout de pain, elle n'était pas consacrée ! Et la grande Dame noire riait, l'hostie au bout des doigts. Tiffany ne comprenait plus rien et surtout pas que cet objet à la forme parfaite, à la couleur de lumière, ne fût pas Dieu qui était pain. Elle se mit à genoux, la Dame lui donna la communion. Dieu n'y était pas, mais Tiffany ne fit pas la différence.

*

Dans le parloir, entre Mademoiselle Pauline et Madame de Sainte Chantal, elle la reconnut. Ce n'était pas explicable, et pourtant elle la reconnut vraiment, sans même chercher à comparer ses traits avec le visage dont elle se souvenait. Tous les liens se dénouaient, il n'y avait eu ni attente ni absence. Il lui vint des gestes comme elle n'en avait jamais fait. Elle grimpa sur ses genoux, plaqua son torse contre la blouse de soie et sa main tirait la voilette qu'elle déchirait. Le nez perdu dans la fourrure, elle reniflait. Il lui échappait des jappements de petit chien, de la bave aux coins des lèvres, avec au creux de sa joie une énorme envie de pleurer.

Nous sommes là, nous sommes là, consolait l'adorée. Mais il en fallait plus, qu'elle la serre plus fort, qu'elle la prenne, qu'elle la mange.

Nous sommes là, nous sommes là, répétait l'adorée, mais ce n'était pas assez. Le corps de Tiffany n'arrivait pas à le croire. Nous sommes là, nous sommes là, psalmodiait la merveille, mais Tiffany éprouvait une épaisse rancœur, qui s'exhalait dans des convulsions sèches. Nous sommes là, nous sommes là, et Tiffany cherchait avec la bouche un morceau de peau qui fût vraiment sa grand-mère.

Notre ange, notre toute-petite, disait Madame Désarmoise. Mon ange, ma toute-petite, répétait l'enfant qui ne pouvait inventer d'autres mots, recueillant ceux-là pour l'en parer à son tour. Elles étaient front contre front, souffle à souffle. Elle reprenait pied avec des tendresses dans la gorge, des douceurs autour du cou, des légèretés près de ce cœur qui pesait si lourd. Mais, il ne va plus rien me rester ! Il était là, lui aussi ! Tiffany alla de son côté avec une joie infinie, mais la passion la possédait. Lorsqu'elle embrassa son grand-père, elle ne quittait pas Madame Désarmoise des yeux.

Il était temps, pour les spectatrices, de montrer leur pouvoir. Alors, je ne compte plus ? demanda Mademoiselle Pauline faisant état d'une affection qui n'était jamais allée si loin. Calmez-vous, mon enfant, ne fatiguez pas votre grand-mère, prévint Madame de Sainte Chantal qui reprenait les rênes. Ces rappels furent odieux à Tiffany, elle tourna vers les deux femmes un œil farouche où ne luisait aucun signe de gratitude ou de reconnaissance. Elle avait un regard dur, une tête fermée presque laide, une sauvagerie de petite brute qui déplut à Madame de Sainte Chantal. Mademoiselle Pauline, qui n'aimait que le beau, se rendit compte que ses sentiments pour l'enfant étaient superficiels. Elle était déçue.

Ce que Tiffany voulait maintenant, c'était partir, fuir ces femmes, la Pension, le plus vite possible, s'évader au bras de sa grand-mère, suivie à la rigueur par son grand-père. Elle tiraillait Madame Désarmoise pour la forcer à se lever et réussit à la soulever tant bien que mal de son fauteuil. Ce fut le signal du départ. Madame de Sainte Chantal et Mademoiselle Pauline se levèrent à leur tour. Le Colonel Désarmoise alla chercher son chapeau.

*

Ils descendirent un escalier de pierre à double révolution sous une véranda abritée par une glycine que l'hiver avait dégarnie. Ils prenaient le chemin de la sortie lorsque Mademoiselle Pauline fut prise de l'envie irrésistible d'aller faire une visite, juste un petit bonjour, à la Vierge, au fond du parc. Ils firent demi-tour et avancèrent à petits pas vers la statue. Au fond de sa grotte la Vierge semblait la grande amande blanche d'un fruit sur plutôt qu'éclaté. Un lent travail putréfié, l'humidité sombre, le suintement, la liquéfaction des chairs, le racornissement des bois laissaient paraître la longue Vierge élancée dans ses voiles plâtreux, en instance de quitter le bas, déliée du serpent qui la retenait à

59

la cheville, libérée de ses entraves et de toutes ses entrailles humaines. Une Vierge sans recours, sans secours. Madame de Sainte Chantal se signa. Entre les buis noirs et les troncs moussus, ils frissonnaient.

Mademoiselle Pauline soutenait Madame Désarmoise. Tiffany marchait devant, la première à sortir, inquiète de trouver le chemin qui la conduirait au-dehors. Ce retour aux sources lui donnait de l'allégresse dans les jambes, à la limite, tout juste, de la course. Devant Tiffany qui fuyait, ils se disaient : Voyez, comme elle s'est habituée. Voyez, comme elle se sent chez elle. Ils se souriaient, ils étaient rassurés. Ils ne voulaient plus rien voir. Ils se congratulaient.

La porte se rapprochait, la sœur tourière venait à eux. Ils freinaient pourtant leur allure, ils avaient encore quelque chose à dire. Tiffany voulait qu'ils le disent dehors. Elle les pressait. A voir la porte, à deviner l'auto garée derrière le mur, elle ne pouvait refréner son impatience. Ils se penchèrent sur elle. Pourquoi ? POURQUOI ? Ils lui dirent qu'elle était bien ici. Elle répondit qu'elle devait partir tout de suite, tout de suite. Ils l'embrassèrent, elle comprit. Ce baiser qu'elle venait de refuser comme signe de séparation, elle s'y accrocha maintenant pour les retenir. Qu'ils ne partent pas, qu'ils ne partent pas ! Elle les serrait de toutes ses forces. Elle leur faisait mal. Ils se débarrassèrent de l'étreinte. Allons vite, dit Mademoiselle Pauline qui entraînait Madame Désarmoise.

Madame de Sainte Chantal intervint, juste

avant les larmes, juste avant les cris, avant que cela NE DÉGÉNÈRE. Elle saisit Tiffany par le cou, avec assez de douceur pour que les grands-parents fussent rassurés et assez de fermeté pour que, au fond d'elle-même, Tiffany sût que c'en était fait. Sous la main de la Dame, la petite fille se cabra. Elle fit face avec violence, prête à se jeter sur celle qui s'était mise entre elle et ses grands-parents. Elle avança les mains pour l'écarter. La religieuse lui saisit les poignets. Entre ses bras prisonniers, tout le corps de Tiffany essaya de peser sur la femme. Madame de Sainte Chantal luttait. Tiffany sentit contre son ventre le genou dur qui l'obligeait à céder du terrain. Tiffany tenta de la repousser avec le front. La Dame ne bougeait pas. Tiffany ne pouvait plus avancer. A la porte, ils s'étaient retournés une dernière fois. Ils emportèrent l'image de la Dame qui embrassait l'enfant.

III

Les dimanches de sortie, Tiffany accomplissait scrupuleusement les tâches quotidiennes au nom de l'ordre, de la ponctualité et de la politesse, les trois mystères de la divine autorisation, jamais acquise d'avance, et qui pouvait être refusée, pour peu que l'impatience, qui était péché, se révélât dans une maladresse. Tiffany, ce jour-là, voulait que tout fût bien, non seulement jugé exempt de fautes, mais bien, au fond. Les menues tracasseries du dimanche, parce qu'elles étaient grosses d'amour, lui paraissaient légères, presque futiles. Elle les aurait souhaitées plus compliquées, infinies, nécessitant une attention de tous les instants, pour maîtriser dans l'effort une pensée toujours prête à ricocher. Ses occupations du dimanche matin ressemblaient aux paroles d'une prière que l'on ne pense pas, DÉSAFFECTÉES, et ce crime contre l'esprit, qui devait lui permettre de retrouver la Pension Montmorency, lui apparaissait plus grand qu'un crime contre Dieu, qui ne détenait que les portes du Paradis.

Tout au long de la messe de neuf heures, qu'elle devait prendre avant de sortir, les sachant là, encore indistincts, présents pourtant dans la masse des parents retenus dans l'aile droite de la chapelle, elle était ivre d'amour et de gratitude pour eux mais aussi pour les Sanguinaires, pour tout ce qui les rapprochait, les séparant pourtant à ce moment. Elle se savait regardée là, surveillée ici par la Dame qui tenait à montrer sa Dizaine de façon avantageuse, dans un ordre impeccable où rien ne devait dépasser, mèches enfouies, nattes serrées, paupières baissées, sûre que ce nivellement serait interprété, de l'autre côté de la grille du chœur, comme le signe de la plus parfaite éducation que l'on pût donner à de petites filles. Pourtant, après la reconnaissance de ces mérites ostensiblement étalés, la seule recherche des familles serait justement de retrouver ce qui faisait l'originalité de leur progéniture. Ils avaient vite fait de deviner, sous chaque béret, la tête blonde ou la mèche folle. A la messe chacun reconnaissait la sienne.

Tiffany se sentait observée. Elle ne les avait pas encore repérés, mais cela ne saurait tarder. Les mains jointes, à travers les doigts où elle enfouissait son visage, elle les verrait et son cœur s'emporterait. Surveillée, elle organisait, dans une joie qui était ravissement, le spectacle le plus susceptible de lui apporter les bonnes grâces de Madame de Sainte Chantal et de faire éclore le plaisir de ses grands-parents. Une succession de mouvements parfaits, de têtes ployées, un enchaînement remarquable de gestes difficiles comme un lever, un assis, deux agenouillements, une prosternation, et aussi une application des lèvres, un véritable play-back de grégorien ou de cantiques suaves.

Quand l'*Ite missa est* enfourmillait les jambes, dans un effort final qui n'était même plus sublime, Tiffany domptait sa fuite, exerçant devant tous la vertu maîtresse de la RETENUE. Prenant son temps, elle faisait une majestueuse génuflexion qui tenait de la révérence du Grand Siècle, un merveilleux conjugué de la Comtesse de Ségur, du *bal du comte d'orgel* et de l'*Imitation de Jésus-Christ*. Elle y mettait tout son besoin de plaire, tout son amour. Alors elle pouvait les rejoindre et s'abattre dans leurs bras avec tout le bonheur qu'elle leur donnait.

Ils lui disaient qu'ils avaient trouvé la messe superbe, elle leur disait oui. Ils lui disaient qu'ils l'avaient trouvée, elle, Tiffany, très bien, elle disait oui. Ils lui disaient qu'elle devait être heureuse, avec toutes ces petites filles, si semblables à elle, accordées en quelque sorte, elle disait oui, oui à tout, à sa joie d'être là, et à ses études, elle disait oui, oui. Il lui tardait d'être ailleurs, dehors, loin d'ici.

Il conduisait, le chapeau légèrement basculé sur la nuque. ELLE s'installait derrière, une habitude, et Tiffany se serrait dans ses bras, plongeant dans la fourrure qui était parfum, respirant le parfum qui était fourrure. Elle était prête pour le grand départ, un voyage sans fin. Elle était prête à ne jamais revenir et à ne jamais

65

arriver. La voiture s'arrêtait déjà devant le portail de la Pension Montmorency. Le Colonel klaxonnait. Dans la buée de la vitre une silhouette courait. Mademoiselle Pauline elle-même leur ouvrait.

Elle ne les laissait pas descendre, les assommait de questions à travers la portière, sur la longueur de la messe ou au contraire sur son extrême rapidité. Au compte des heures, cela n'avait pas été une messe chantée. Elle voulait en savoir tout de suite la qualité, qui devait encore se mesurer au sermon, à la couleur, à l'épuisement de son frère. Est-ce qu'il avait été bien ? Vraiment bien ? Elle se tournait vers Tiffany : Tu as été sage ? Tu as bien travaillé ? L'enfant répondait oui. Oui, le cœur amer, oui, pour que l'autre retire sa tête, qu'elle puisse goûter entre fourrure et soie un instant de sa grand-mère.

*

Ils montaient sous prétexte de se rafraîchir un peu. Le Colonel restait dans ce qui leur servait de salon, Tiffany accompagnait sa grand-mère dans la vaste chambre à coucher. Madame Désarmoise ôtait son chapeau, gardait sa fourrure et s'allongeait ainsi, tout habillée, sur le lit dont elle n'avait pas retiré le couvre-lit, tenant ses pieds chaussés un peu en dehors, dans la ruelle. Elle sombrait, les yeux clos, dans ce qui n'était pas le sommeil, mais un ralentissement de l'être. Son corps immobile s'enfonçait dans la fatigue, sa respiration se faisait imperceptible. A ce moment-là, c'est sûr, elle mourait.

Peu à peu, au fur et à mesure que sa lassitude se dissipait, elle faisait une série de mouvements pour se débarrasser de son manteau et de ses chaussures. On aurait dit qu'elle se préparait à se coucher, elle s'éveillait au contraire. Ses paupières douces se levaient alors sur la petite fille assise au bout du lit, elle lui murmurait de venir s'étendre. Tiffany se jetait sur le lit. Pour se faire pardonner sa brutalité, elle se figeait, ne respirait plus. Alors elle sentait la main de sa grand-mère qui cherchait son bras ou son épaule et qui l'ayant trouvé, restait posée sur elle.

Lorsqu'ils allaient déjeuner, il était toujours trop tard. Le menu proposait : truite ou pintade. Il ne suffisait pas d'être contraint par l'horaire, il fallait l'être dans ses goûts. Comme la Pension Montmorency apparaissait pesante à Madame Désarmoise ces dimanches où elle en était prisonnière. Elle rêvait d'un appartement, d'une maison bien à elle. Le Colonel acquiesçait et pour partager en l'amplifiant la mauvaise humeur de sa femme, faisait une remarque à la serveuse.

La journée se défaisait irréparablement. Le repas marquait la frontière entre le bonheur et le malheur. Pour peu que le Colonel et Madame Désarmoise ne prissent pas de café, ils accéléraient le malheur. Dans le petit salon où ils passaient l'après-midi, il ne fallait pas parler, Madame Désarmoise se reposait. Le Colonel s'emparait de quelques journaux qu'il crayonnait et entre deux consultations abandonnait le dictionnaire à Tiffany. Ce n'était plus un livre, mais presque un meuble. Il était si usé que Mademoiselle Pauline lui avait confectionné une couverture de tissu, le même qui recouvrait les chaises. Tiffany l'ouvrait, elle apprenait le monde dans les planches de couleurs, les champignons de la forêt, les papillons des prés, les poissons des océans, et les décorations sur le revers des champignons.

Le Colonel les avait toutes, ou presque, les plus importantes. Il lui permettait d'ouvrir les écrins minuscules. Elle pouvait les toucher, les sortir, les examiner. Tiffany recouvrait les images du dictionnaire avec les vraies croix et réclamait les palmes académiques qui manquaient. Pourtant le plus remarquable restait l'intérieur des écrins, leurs couleurs précieuses, les boursouflures des capitons de satin, le reflet des velours que l'usure frappait d'argent.

Madame Désarmoise s'éveillait en toussant. Si elle n'était pas trop oppressée, ils la raccompagneraient à pied. Un jour un photographe des rues fixa en gris le trio au visage fermé, leurs jambes en ciseaux coupant le trottoir. Lui, devant, Tiffany, derrière, déjetée et déhanchée, un bras accroché à celui de sa grand-mère. Le photographe avait fait si vite qu'ils n'avaient pas eu le temps de sourire.

*

La semaine recommençait par le Salut du dimanche. Arriver en retard au Salut, c'était déjà compromettre les résultats de la semaine. Avec le temps l'enseignement que dispensaient les Dames Sanguinaires révélait son secret. Il ne concernait pas des matières, un savoir, des compétences, il était avant tout une attitude de l'esprit. Il privilégiait la noblesse, et lorsqu'on n'y pouvait prétendre, car la noblesse comme la grâce — cette noblesse en religion — ne s'acquiert pas, développait la politesse, l'extrême, la très grande politesse. Tiffany découvrit très vite ce grand principe étranger au savoir, s'y tint et réussit avec une application étonnante.

Elle ne devint pas à proprement parler une bonne élève, de celles qui obtiennent des dix-huit solitaires et orgueilleux, presque des révoltes. Non, elle avait des dix et des douze qui lui venaient du ciel par la grâce du Saint-Esprit. Un treize, une fois, par l'intervention de Jésus-Marie-Joseph. En se pliant à l'usage, l'exactitude et l'ordre, qui COMPTAIENT, elle se maintint, avec une médiocrité sans surprise et sans danger, dans le troupeau de Dieu.

Elle apprit qu'il y avait des matières plus nobles que d'autres. Le latin en faisait partie, il était d'une noblesse absolue, la langue de l'Église ! Et il n'était pas très important d'y être bon, la modestie voulait même qu'on ne l'entendît qu'à demi, comme la Bible. Les versions de Tiffany gardaient leur façade secrète. Traduire n'était pas éclaircir mais protéger un mystère. Devant se réunir, par-devant les murailles de la ville haute, Scipion eût dit soldats à venir je

69

vous vois. Ce n'était pas incorrect, mais respectueux.

Il n'était pas seulement question du latin, cas spécial, mais de tout le reste. La géométrie dominait le calcul donc l'algèbre. La géométrie de l'espace culminait dans le triangle avec l'œil de Dieu. L'anglais était élégant, Miss Bolt l'était beaucoup, surtout par le miss. L'histoire plaisait sous Louis XIV, la géographie s'enorgueillissait du mont Blanc et de la forme parfaite de la France. Elles étaient fières d'appartenir à un pays si exact et si haut.

Le français était à part. Tout dépendait de ce qu'on lisait et de ce que l'on écrivait. On gagnait tout à fait à l'emploi de mots abstraits donc dignes, et de formes grammaticales, inversions et subjonctifs, plus rares donc admirables. Ne fallait-il pas préférer au futur le conditionnel qui mettait un s à la première personne du singulier et un t à la troisième ? Le conditionnel devint le futur des politesses et dans un monde où l'on n'est sûr de rien, Tiffany mettait des si.

Mais le français était surtout une question d'orthographe, d'écriture et de majuscules. Si l'orthographe lui causait toujours des difficultés, elle s'en désespérait vraiment, elle avait honte de ces fautes qu'elle lançait comme des injures à une Maîtresse qui les lui renvoyait soulignées de rouge. Elle s'appliquait pour l'écriture et maniait les majuscules avec une incohérence qui révélait beaucoup de sensibilité. Elle n'en mettait pas seulement après les points, mais un peu partout, aux noms propres bien sûr et aux adjectifs qui qualifiaient ces noms, et à l'article qui désignait l'adjectif, et au verbe dont le nom était sujet. Et puis aux noms abstraits. Charité méritait une majuscule, Prudence aussi, Victoire l'exigeait. Et si le texte était traduit du latin, alors tous les mots, tous méritaient leurs majuscules. Elle remit un : Devant Se Réunir, Par-Devant Les Murailles De La Ville... à Madame de Sainte Chantal, comme un précieux ouvrage de Politesse et de Noblesse. Elle eut dix et fut un peu déçue. Qu'importait le sens, la forme était parfaite.

*

Et elle avait la permission du jeudi ! Du sourire de Madame de Sainte Chantal à celui de sa grand-mère, il n'y avait que la ville à traverser. La rue, sous les pas de l'enfant qui courait, n'était que des lèvres de femmes et lorsque parfois Tiffany levait les yeux, elle rencontrait, lumineuses, des lèvres gonflées de baisers, de rouges baisers.

Une impasse, un square désaffecté, une porte très lourde d'un vert d'encre, un escalier sombre interdit au service, fournisseurs et colporteurs. Les adresses où les grands-parents passaient leurs journées à bridger étaient semblables, au numéro près. Tiffany attendait devant le même double battant que les pas d'une femme de chambre, venus de très loin, fissent silence. Elle donnait son manteau et son béret mais gardait ses gants. Elle porterait son gant gauche et ne découvrirait que sa main droite. Elle plairait ainsi.

Un couloir et puis un autre, la bonne la conduisait vers le salon. Entre toutes les tables, quelle que fût la place qu'elle occupait, Tiffany ne voyait que Madame Désarmoise. Elle s'approchait doucement pour ne pas la déranger et attendait derrière son dos que les joueurs fussent revenus de la stupeur du jeu et, dans le bruit du contrat réalisé ou manqué, dans les constatations, les recommandations et les reproches, Tiffany avançait la joue, le nez, le front...

Elle frôlait le bord du feutre, imprimait sur sa peau le treillage de la voilette légère et s'enfonçait dans la fourrure tiède au creux de ce parfum enivrant de dame en noir qui la faisait défaillir. Elle devait dire bonjour tout autour de la table, mais les joueurs plongés dans leur passé immédiat n'y faisaient pas attention. Une dame qui déjà distribuait la nouvelle donne, les mains rapides sur des images d'oiseaux de feu, lui faisait elle aussi un de ces sourires évanescents. Ils étaient tous appliqués à s'anéantir dans le jeu.

Tiffany tournait en rond dans le grand salon qui pouvait contenir jusqu'à cinq tables de bridge. Son grand-père la retenait contre lui le temps de finir la partie : Te voilà toi ! Après avoir salué la maîtresse de maison qui se distinguait par son absence de chapeau, elle allait de table en table où le mort d'occasion, inoccupé et impatient, l'appelait en rejetant la tête en arrière. Il lui demandait si elle était sage. Tiffany répondait oui. Des voix réclamaient le silence, tout ce branle-bas dérangeait. Elle allait s'asseoir dans une bergère en attendant la fin de la partie.

Elle les regardait. C'étaient de terribles vieillards. De grands, tout cassés, de maigres dont le ventre hydropique rebondissait sur la table, de chauves au crâne tavelé, de livides au nez violacé, avec des taches brunes, des taches jaunes, des yeux bleuâtres effacés sur les bords. Les vieilles, surtout les vieilles, étaient horribles, leurs maquillages mettaient à leurs visages des traces plus repoussantes que celles de la maladie : sur des visages plâtrés de poudre de riz, des bouches noires, des mèches rouges comme des entrailles de corbeau. Sur leurs doigts crochus, elles portaient toutes les bagues d'une vie. Tiffany ne croyait pas que ces grands-parents fussent semblables à ces gens-là, pourtant ils n'en étaient pas différents.

Le temps passait, l'heure de la rentrée se rapprochait et Tiffany se prenait à redouter le moment du retour, persuadée que c'était par bonheur qu'elle avait échappé à la promenade et que c'était un privilège que d'être dans ce salon. Quelquefois, on se rendait compte que Tiffany ne faisait rien, alors on lui proposait de feuilleter un de ces albums où les cartes postales sont mêlées aux photographies. Tiffany regardait, dans des lieux qui n'existaient plus, des visages disparus.

*

Ce qui la frappait le plus dans ces images, c'était la jeunesse des traits, leur gaieté. De photo en photo ils lui renvoyaient ses sourires. Des jeunes femmes montraient leurs épaules nues que la photo veloutait. Elles se penchaient vers de jeunes hommes aux dents de perle. Lorsqu'elles étaient seules, elles étaient recueillies, le cou arrondi, un long regard perdu vers un lointain indéfinissable. On voyait bien leurs cils — on pouvait les compter —, l'arabesque d'une dentelle et les crans brillants de cheveux ni blonds ni bruns avec des reflets clairs sur leur masse sombre. Elles étaient belles comme des saintes un peu dévêtues qui n'auraient pas regardé le ciel.

Qu'ils semblaient bien, ces beaux jeunes gens avec leurs chiens sur la terrasse de leur maison. Un cou s'étirait hors d'un fauteuil de rotin, une épaule s'effaçait au fond d'un transat, on devinait le chien au fouet de la queue, une main tendait un verre et toujours ces visages étaient heureux, ouverts, projetés vers l'objectif. C'est là qu'elle aurait voulu être. Il lui semblait que la lumière pouvait transformer les gens du salon en ces héros d'autrefois, ramener le soleil, les chiens, la jeunesse et la belle maison qu'ils habitaient.

L'essentiel lui apparaissait. Ce que les gens montraient, chien en avant, était leur maison. Comme une devinette, où est caché le château ? Elle s'appliquait à découvrir la maison, et la maison surgissait effaçant tout le reste. Il n'y avait plus de chien, plus de dames et de messieurs, des ombres comme celles qui hantaient ce salon. Ce furent des fenêtres que les clichés multipliaient, des portes, des fragments de toit, des pans de mur que protégeait un arbre énorme, des bouts de terrasse fleuris. Et dans une longue perspective, une tour comme Tiffany n'en avait jamais vu, une tour qui s'élançait entre les branches.

Cette tour lui semblait admirable, la tour étant à la maison ce que le chien est à l'homme. La tour prend garde, la dame à sa tour monte... la tour était l'enfance de cette maison-là. Alors Tiffany eut une sorte de respect pour la maison qui était devenue château. Elle s'efforça d'en reconstituer le puzzle. Maintenant qu'elle avait la tour, cela lui parut presque simple. Elle avait trouvé l'essentiel, elle y accola un mur recouvert de lierre, fit déborder un auvent et casa la terrasse par-devant. Le ciel était en haut, les parterres en bas, les arbres partout. Elle fit courir le chien devant, derrière, à côté. Il était pris d'une frénésie joyeuse, jappait en l'attendant aux quatre coins de la maison, il la provoquait avec des glapissements heureux. Pour la première fois, Tiffany eut l'idée du bonheur. Il n'était pas une personne mais un lieu. Ce n'était qu'une image que le temps avait décolorée.

*

Elle s'agitait sur son siège. C'était vers un vieillard plus atteint que les autres, caché par une double porte, pour qu'il ne fût pas troublé ou qu'il ne troublât pas la réunion, que l'on envoyait Tiffany, espérant que l'enfant, débarrassant le plancher, irait le distraire de sa longue attente. Dans l'autre pièce, où l'on avait soigneusement camouflé derrière les tentures des seaux et autres accessoires de maladie, il espérait l'infirmière et la piqûre, c'était la petite fille qui entrait.

Tiffany découvrit un époux ou un frère. Dans ces conditions, tous les hommes sont fraternels. Ce beau vieillard au nez aquilin portait un monocle, mais fixé à son œil par du sparadrap. Tiffany ne le vit jamais que de profil, l'oreille collée à un poste de T.S.F., auquel on l'avait une fois pour toutes accouplé. Il était silencieux, définitivement absent. Tiffany savait qu'il était inutile de lui parler, elle restait à côté de lui et écoutait comme venue de cette face impassible la seule musique profane qu'elle eût jamais entendue. La figure, qui ne reflétait rien, se laissait traverser par la musique, qui arrivait fraîche et claire, inécoutée, sur Tiffany.

A travers la cloison parvenaient les bruits du thé et lorsque Tiffany revenait parmi les vivants, elle découvrait le salon dressé pour le goûter avec les instruments infinis de ce genre d'en-cas, les tasses dans les soucoupes, elles-mêmes dans de petites assiettes supportées par de plus grandes, les cuillères à thé, les fourchettes à gâteau, les cuillères à crème, les couteaux à fruits, les cuillères à confiture et les couteaux à beurre, qui encombraient les tables. Alors, sur les dessertes, les bonnes posaient les compotiers, les plats à tarte et les plats à cake, les dressoirs à petits fours. Une merveille d'abondance et de raffinement avec des serviettes de dentelle, des nappes ajourées, des théières d'argent.

Dans un coin, debout, les messieurs affirmaient leur virilité en buvant leur porto dans des verres de cristal de Bohême. Les dames, assises autour des tables, prenaient leur thé, fort, léger, avec du lait, de la crème ou du citron, un sucre, deux sucres, trois sucres, jamais de sucre. Coincée entre deux dames, sous le regard doux de sa grand-mère, Tiffany s'appliquait à manger proprement un gâteau, s'efforçant de ne pas entendre, dans le menu bruit que faisait l'argenterie sur la porcelaine, l'infime et obsédant grelottement des dents, le claquement mouillé de la langue sur les palais de Celluloïd rose.

Au milieu du salon, un ancien Administrateur des Colonies, auquel on donnait de l'Excellence, pérorait, le verre haut levé. Il buvait du whisky. Il débusquait Tiffany d'un tonitruant : Alors, notre petite coloniale ! C'était le point de départ d'anecdotes prodigieuses. Il parlait d'un monde où tout était plus grand. Les dames retenaient surtout le nombre des domestiques. Ma fille m'écrivait qu'elle en avait eu jusqu'à sept, confirmait Madame Désarmoise. Huit, dix, douze, surenchérissait l'Excellence, un seul rien que pour changer les fleurs et les oiseaux, qui mouraient chaque matin, comme les fleurs. Il prenait Tiffany à témoin. Et comme l'enfant restait de marbre, il réfutait une expérience qui venait trop tard dans l'Histoire. Et où est

Madame votre fille, maintenant ? demandait l'Excellence à Madame Désarmoise. Il n'écoutait pas la réponse, car le seul pays qu'il connût était le Congo de 1936.

Tiffany se glissait dans le groupe des hommes. Ils parlaient fort et, sous prétexte de lui serrer la main, ils lui retenaient le bras et le pétrissaient jusqu'à l'épaule. Pour faire durer la chose, ils lui demandaient si elle était sage et comme pour la énième fois, elle répondait oui, un vieux malin lui disait : C'est bien vrai, ce gros mensonge ? Ils la regardaient alors d'un regard fixe, sans ciller, la bouche ouverte, tout près, longtemps, long-temps, bien après les mots, bien après les gestes. Tiffany n'osait pas bouger, elle attendait qu'ils arrêtent. Les vieux avaient oublié qu'ils la regar-daient.

Il était l'heure de revenir à la Pension, Tiffany se sentait déchirée, elle eût préféré rester là, mille fois. Lorsqu'elle prenait congé, dans l'or-dre que Madame Désarmoise lui avait indiqué, ils la regrettaient tous, elle était si sage ! Ils lui disaient, remuant le fer dans la plaie : Déjà ! Elle avait beaucoup de peine. L'Excellence qui voyait les larmes affleurer dans ses yeux s'écriait : Ah ! Ah ! c'est que ce n'est pas comme avant mainte-nant, plus de chauffeur, plus de boy pour cirer les chaussures. Tiffany se sentait transpercée.

*

Jamais le désagrément d'habiter la Pension Montmorency n'apparaissait avec autant d'évi-

dence que le Jour du Mois du Colonel et Madame
Désarmoise. Ce n'était pas que Mademoiselle
Pauline y mît la moindre mauvaise volonté. Au
contraire, ces bridges étaient pour elle une véritable fête, elle se piquait au jeu, en faisait une
affaire personnelle qui du coup échappait à
Madame Désarmoise. Aussi ces réceptions pre-
naient-elles l'aspect d'un véritable conflit d'in-
fluence qui nécessitait la médiation de Tiffany,
autorisée à sortir pour la circonstance. Prudemment, le Colonel Désarmoise restait neutre.

Prévenue très longtemps à l'avance, la vieille
fille lançait une escarmouche qu'elle savait
vouée à l'échec. Et si la réception avait lieu dans
le salon de la Pension plutôt que dans celui du
Colonel ? Ils seraient à l'étroit là-haut, sans
lumière. Elle imaginait le salon communautaire
condamné, les pensionnaires repliés dans leur
chambre sous ce prétexte tellement anglais,
tellement mondain : un bridge ! Mais Madame
Désarmoise voulait recevoir chez elle. Qu'à cela
ne tienne, Mademoiselle Pauline battait en
retraite. Elle ferait de son mieux, prêterait son
propre service à thé, les nappes de sa mère. Elle
encourageait Madame Désarmoise à venir choisir elle-même. Madame Désarmoise refusait, elle
déléguait Tiffany.

Que préférait-elle ? Le service bleu aux oiseaux
ou le service blanc avec les croisillons dorés ? Les
couverts d'écaille ou ceux de bronze ? Elle avait
de tout, douze par douze. Pour faire seize, on
mélangerait. C'était devant l'armoire à linge que
le plaisir de Mademoiselle Pauline s'étalait sans

réserve. Ces nappes, ces sets dont elle ne profitait jamais, chacun avait son histoire. Tiffany voulait-elle savoir ? Entre deux Calais, elle lui désignait les rosaces de Chantilly. Elle était fière de ses torchons épais dont elle montrait à contre-jour la trame inusable : Je t'en donnerai, quand tu te marieras.

Mais à peine Tiffany achevait-elle d'étaler un choix contesté — elle aimait bien les tissus roses, verts et bleus agrémentés de motifs les plus figuratifs possibles, alors que des linges blancs et damassés eussent mieux convenu à Madame Désarmoise — qu'il fallait se précipiter pour recevoir les invités. A la grille, en bas, et non à la porte, en haut. Devant le portail, Mademoiselle Pauline attendait déjà. Il faisait froid, elle la renvoyait auprès de ses grands-parents qui guettaient par la fenêtre de la chambre. Ils entendaient dans l'escalier le bruit des pas des invités et la voix de la vieille fille qui faisait les honneurs de sa maison. Avec leurs cheveux mauves, roses et bleus sous des capotes de plumes irisées, les dames donnaient la réplique exacte des tables de thé. Les hommes étaient comme les fauteuils, noirs et gris, grands et lourds. Sur leurs chapeaux perlaient des gouttes de pluie.

Mademoiselle Pauline, toute rouge, demandait s'ils ne manquaient de rien. Elle avait à organiser, dans la cuisine, une réception d'un autre genre, celle des pâtisseries qui venaient de Régalty, ou du Régent. Toute une royauté qui s'affichait, par de petites couronnes collées pour retenir les rubans, par des châteaux en trompe-l'œil sur les cartons à gâteaux. Marquise de Sévigné, Marquise de Pompadour. Pour être dégusté le chocolat se devait d'être royal. Il l'était, elle l'affirmait, tout heureuse d'en reconnaître la facture, la pâte, la maison. Elle préférait à toutes les autres les douceurs au nom huppé : les Marquises, les Diplomates, les Financiers. Dans une timbale, elle déposait une Princesse de Lamballe.

Tiffany surveillait dans une casserole une eau qui ne devait pas bouillir. Lorsqu'elle la voyait frémir, elle rappelait à l'ordre Mademoiselle Pauline, trop abîmée dans ses préséances gourmandes. Elle enlevait la casserole, il était trop tard, Madame Désarmoise le sentirait bien. Ça bouillait, disait Tiffany. Non, ça frémissait, affirmait Mademoiselle Pauline. Elles s'affrontaient. Mademoiselle Pauline trouvait que Tiffany n'était pas aussi polie ni aussi sage qu'on l'affirmait là-haut. Je dirai à ma grand-mère que ça bouillait, répétait Tiffany. Mademoiselle Pauline lui dit que, réflexion faite, elle n'était pas sûre de lui donner ses torchons.

Tiffany ! On l'appelait. Elle arrivait, des ficelles dorées dans les cheveux, les étiquettes des gâteaux collées sur les doigts. On imagina de l'occuper. Une place libre. Trois joueurs en peine décidèrent de l'introduire dans la partie. L'Excellence la prit comme partenaire : N'est-ce pas, ma petite coloniale ? Brusquement Tiffany devenait le point d'attention des trois grandes personnes. Elles lui parlaient toutes à la fois, lui expliquaient tout à la fois. Assise très au large,

dans un fauteuil, Tiffany existait à part entière.
Elle tenait la place d'un joueur. Elle mettait
beaucoup de temps à ranger ses cartes. Elle ne
pouvait les prendre toutes d'un seul coup et
annoncer en les feuilletant. Elle les mettait
d'abord en ordre, les unes après les autres, les
cœurs avec les cœurs, les piques avec les piques.
Et puis elle comptait à mi-voix : $3 + 2 + 4 + 1...$
Les autres écoutaient. Elle étalait ses as, ses rois
et sa dame de trèfle, une dame brune, le printemps. Elle se sentait aimée quand elle avait du
jeu.

*

Le printemps emporta la dame. La religieuse
blanche de l'infirmerie n'avait pu supporter le
flux de la nature rajeunie dans ses veines. Contre
toute attente, le soleil ne l'avait pas requinquée.
Elle avait trépassé. Les grandes faisaient autour
de son lit une garde d'honneur. On restitua
artificiellement l'ombre, on tira les rideaux et,
en plein jour, on alluma les bougies. On ne
ressentait de la peine que dans l'obscurité. Les
petites pouvaient venir en procession. On ne les
y obligeait pas, mais si elles y allaient, deux par
deux, elles échappaient au latin, à l'anglais, aux
mathématiques. Tiffany ressentit un très grand
plaisir à arrêter net ce qu'elle était en train de
faire, piété oblige ! Le reste de la classe l'envia
d'avoir été appelée juste au moment de l'interro-
gation.

Dans le couloir, elle chuchotait avec la

compagne que le sort lui avait choisie, elles allaient voir un mort. Tu en as déjà vu, toi ? Tiffany en avait vu et comment ! Elle raconta qu'autrefois dans l'hôpital de son père, on les mettait sur une gouttière de zinc et hop, on les trimbalait tranquillement à travers la cour de l'hôpital et si les brancardiers avaient une envie pressante, ils laissaient le cadavre, l'oubliaient, tout racorni, sous le soleil qui le cuisait... Son père disait que c'était dégueulasse. Dégueulasse. Elle dit, un mort, c'est dégueulasse. L'autre ne s'intéressait pas aux morts de Tiffany. Non, pas ceux-là, pas des morts comme ça, des vrais ! Non, Tiffany n'en avait jamais vu des vrais. L'autre si, elle lui expliquerait, elle n'avait pas le temps, elles étaient arrivées. Elles avaient peur. Je ne veux pas regarder. Moi non plus.

Elles regardèrent. La religieuse n'était plus blanche, mais noire. Elle était redevenue une Dame. Elles la connaissaient blanche, elles ne la reconnaissaient plus noire. Elles se demandaient : C'était qui ? Les cierges mettaient une lumière si blanche que le visage tout enserré de noir semblait irréel. Elle n'était déjà plus une Dame, mais une Sainte, une Bienheureuse. Tiffany se familiarisa, elle regarda un bout de la coiffe, son regard descendit le long du voile et capta un peu de chair. Elle referma vite les yeux. A la fin, elle fixait le cadavre dans les yeux.

Comme la sœur blanche, le beau monsieur au nez aquilin s'était éteint. Sa tête, basculée contre la toile du poste de T.S.F., y avait creusé son oreiller. Il semblait si naturel que ce fut en le couchant qu'on s'était rendu compte qu'il n'écoutait plus. On l'enterra dans le cimetière de campagne où il possédait une propriété, le jour de la fête du village.

Pour sortir de l'église, il fallut attendre que la course cycliste fût passée. Sur la place, les yeux fixés sur le tournant, la foule guettait le peloton de tête. Inconscients de la gravité et de la douleur de l'instant, les gens s'amassaient et se regroupaient autour du corbillard qui avait perdu ses accompagnants. Les amis égarés se cherchèrent et décidèrent d'aller au cimetière coûte que coûte. Mais le sens unique nécessaire à la course transformait le village en un véritable labyrinthe. On croyait y être, il fallait rebrousser chemin. Comme au jeu de l'oie, on était bloqué dans une case, on revenait au point de départ. Les hurlements des manèges et le flonflon des musettes éclataient brusquement aux oreilles de la famille affligée.

On parla de populace, de plaisirs vulgaires, de bonheurs grossiers. Par la vitre baissée, Tiffany respirait à pleins poumons cette odeur de poussière, de friture, de fête. Elle n'avait jamais rien connu d'aussi grisant, la vitesse folle de la chenille lui mettait le cœur à l'envers. Elle aurait voulu tourner jusqu'à la fin du monde, en avoir, pour une fois, tout son saoul. Elle voyait les ballons, les ours de peluche jaune, les immenses poupées de Cancan, elle aimait tout cela et ne pouvait le dire. Elle se devait d'être triste. Tiffany qu'il aimait tant ! Elle tournait la tête vers le village, on n'y repasserait pas. Le mort descendit en terre sur fond de clameurs joyeuses. Sur le cercueil, les taches multicolores d'une poignée de confetti.

*

Les voitures quittèrent le village en file indienne. Dès qu'elles passèrent le pont, il se fit un grand silence harmonieux. Ils purent entendre l'eau et sous le lent passage des autos le frottement de l'asphalte. Le paysage s'était obscurci, tant d'arbres défilaient devant la vitre, derrière un mur haut et gris qui ne semblait avoir été dressé que pour les contenir. Le silence et l'ombre les conduisirent à un haut portail mangé de lierre, un nom invisible sur la pierre. Seule éclatante dans ce décor ombreux, une plaque rouge : Propriété privée. Défense d'entrer.

Lentement les voitures remontèrent une allée bordée de chênes. Entre les troncs énormes, on devinait les prairies claires. Tiffany avait l'impression d'une initiation magique, elle pénétrait en cortège dans un univers défendu et insoupçonné. Un voyage en train fantôme ne l'eût pas plus exaltée. Une à une les voitures se rangèrent et Tiffany un instant fut seule face à l'immense maison flanquée de sa tour.

Ce fut un ébranlement de tout son être. Il lui semblait revivre un instant du passé. Du fond de son souvenir, du fond de l'âme, elle la reconnut. C'était la maison des photos, celle de la jeunesse, de la beauté et des chiens. Elle ne put contenir sa joie et sans le branle-bas des arrivées qui se succédaient, on aurait remarqué son excitation. Elle n'avait jamais pensé que la maison pût exister, pas plus que les châteaux des contes, qui engloutissent les princesses endormies. Comment cette maison si belle avait-elle pu survivre à ceux qui l'avaient habitée! Comment n'avait-elle pas vieilli au rythme de ses occupants pour n'être, à leur image, qu'un tas de pierres indistinctes?

Tous les volets avaient été fermés en signe de deuil. Dans les salons, les dames se reposaient. Sur la terrasse où les fauteuils de rotin avaient été tirés, les messieurs buvaient un vin jaune et liquoreux. Avec leurs habits noirs, leurs gestes cassés, ils retrouvaient leurs attitudes d'autrefois et parce que Tiffany les avait surprises sur des photos ces caricatures lui étaient odieuses. Seule la maison paraissait hors du temps, hors de l'espace, et de la mort.

Tiffany s'échappa, elle alla à la découverte, confronter le souvenir des petites images sépia à la réalité plus claire de ce jour de deuil. Tout lui semblait plus grand et plus beau parce que vrai. La tour lui parut aussi formidable que le chêne d'Amérique qui dominait la maison. Plus loin s'étalaient les prés, les bois. Un mon¹e infini et silencieux. Sur des étendues verdoyantes, le souffle de la brise couchait les jeunes herbes.

Au fond du parc coulait une fontaine, haute sur sa vasque. L'eau sautait de pierre en pierre vers un bassin rond qu'arrosait aussi un jet d'eau. Tiffany y remarqua des têtards. Elle plongea la main. L'eau, de glace, se resserra sur son poignet. Quand elle la sortit, sa main piquait. Elle la replongea et sa main qui s'était faite au froid attrapa un têtard, une grosse pustule grise qui s'agitait dans sa paume, elle l'apporta dans la vasque. Elle en pêcha d'autres. Elle sépara les grands, les petits, elle rassembla les pansus et les chétifs, imagina des familles. Les têtards se collaient sur les bords. Tiffany, les bras trempés, allait les chercher de plus en plus profond. Elle jouait.

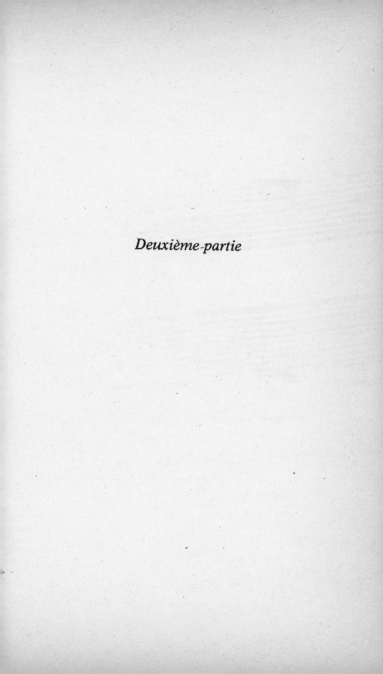

Deuxième partie

I

Chez le marchand de tabac et de souvenirs, les grands-parents de Tiffany avaient trouvé au milieu des cartes postales du bon Roi Henri, entre son château et sa poule au pot, une vue qui définissait assez bien la place de la Propriété dans la géographie sentimentale du village. C'était une photographie aérienne coloriée de verts intenses et de rouges violents. Ils avaient examiné attentivement l'image, repéré la rivière, remonté l'allée du doigt, et à l'angle, dans le dentelé de la carte, ils avaient reconnu une partie du toit. Le flou du cliché, les couleurs inexactes les décevaient. Il y manquait le relief.

Pour mieux ressentir ce que la Propriété pouvait avoir de remarquable, c'est du village qu'il fallait partir, du centre, de la place de la mairie avec ses platanes, ou de l'église qu'encadraient de hautes maisons béarnaises. Ils quittaient la route principale qui captait toutes les façades et suivaient dans ses odeurs potagères le chemin de derrière. Entre les bouts de jardins et les morceaux de champs, à travers les hampes du maïs et des haricots où se mêlaient quelques pois de senteur, dans l'odeur sucrée d'une rose blanche déjà flétrie, elle apparaissait dans sa splendeur, face aux montagnes, retenant la rivière.

Devant cette rivière qui lui appartenait par moitié sur cinq cents mètres, c'était le vertige. Ils exploraient son fond de source et s'irritaient d'y découvrir d'abord les ordures du village, chaussures, boîtes, ossements, vieux pneus; et puis le lit s'éclaircissait, l'eau giclait sur les galets ronds, la Propriété avait refermé ses portes. L'allée serpentait entre les arbres. Depuis des siècles, les chênes en marquaient le dessin préférentiel.

Cette montée vers la maison, face à la masse du bois dont on savait qu'elle surgirait, était une des émotions que Tiffany partageait le mieux avec sa grand-mère. Elles guettaient un bout de toit, une fenêtre. Il fallait patienter encore, après les pommiers, après la cressonnière. Tiffany apprenait que les clochettes violettes étaient des campanules, les pompons rose et mauve des scabieuses, les grappes vives et veloutées des pulmonaires. Sous les chênes centenaires, elle ramassait des pulmonaires. Demeure des scabieuses, Paradis des renoncules dorées, Chant d'arums. La maison surgissait au détour de l'allée, elle s'imposait, s'étalait, se gonflait et lorsque la petite fille et sa grand-mère lui faisaient face, elle s'abritait dans le coude d'une branche.

De même qu'ils aimaient voir la maison du village, ils aimaient contempler le village depuis la maison. Ils gravissaient tous trois la colline. Madame Désarmoise prenait une canne, le Colonel, un makila. Aux pruniers, ils s'arrêtaient pour admirer la maison précieuse dans la verdure. Par une déchirure des arbres, s'offraient les Pyrénées, un peu roses, un peu bleues. Madame Désarmoise, d'un petit mouvement de la tête, ôtait son chapeau de paille fine. Elle s'asseyait dans l'herbe, les jambes croisées. Comme elle se portait bien alors ! Elle regardait la maison, elle regardait les montagnes. A cette heure, à cet endroit précis, le bonheur fondait sur Tiffany. Elle cueillait des fleurs de carotte et passait leurs tiges dures dans la coiffe du chapeau de sa grand-mère, il devenait blanc, crémeux comme un ventre de tourterelle.

Le Colonel Désarmoise indiquait du doigt les limites des terres, un arbre, un sentier. Il retrouvait la forme trapézoïdale du cadastre, mais amollie, ourlée de haies et de buissons. Plus bas, au bout du bras tendu, une cheminée d'usine fumait, une menuiserie dont l'air rapportait le lointain grincement, la marbrerie dans ses chutes d'eau. Près du terrain de rugby, tout vert, le cimetière tout gris. Sur la route, le car bleu. Il est six heures, disait le Colonel. Alors au creux des coteaux, le train qu'il guettait se mettait à siffler.

*

Lorsqu'ils repartaient, c'est à Tiffany que revenait le soin de refermer la grille. La petite fille demandait pourquoi on n'y habitait pas. Ce n'est pas si simple, répondait le Colonel. Mais on l'avait achetée pourtant ? Non, disait le Colonel, on avait passé un compromis de vente. Alors, on ne l'avait pas achetée, et le menton de Tiffany tremblait. Si, on l'avait achetée, mais on ne l'avait pas payée. Alors les autres vont la prendre, gémissait l'enfant. Ça, elle n'avait pas de souci à se faire, il ne se laisserait pas avoir. Il marmonnait, heureux de sa puissance sur les choses, satisfait de la façon dont elles se présentaient.

Ils avaient déjà rendu visite au Curé du village, qui les avait reçus dans la cuisine du presbytère où flottait un parfum fruité et douceâtre de vin blanc. Il leur en offrit dans de petits verres lourds et courts, et bien que Madame Désarmoise refusât énergiquement, il la servit quand même. Cela ne pouvait pas lui faire mal. On en donnait aux malades et aux enfants. Il servit aussi Tiffany. Un QU'EY BOUN, prononcé d'un accent plus vrai que nature, sortit du gosier du Colonel. Il s'ensuivit un petit affrontement linguistique auquel Madame Désarmoise et Tiffany assistaient en étrangères. Le Colonel et le Curé faisaient assaut de patois. Enfin, ils en vinrent à l'objet de la visite. Ils achetaient la Propriété. Le Curé feignit la surprise. Le Château ! Cet arrêt rendu par un homme autorisé combla d'aise Madame Désarmoise et Tiffany. Un château, un véritable château, répétait pensivement le Curé.

Il leur parla du village — il y était depuis vingt

94

ans —, des gens qu'ils pourraient fréquenter. De toutes les hauteurs tombaient des De... et des Du... Les coteaux mettaient de la noblesse aux patronymes. Ils rencontreraient tous ces gens à la messe. L'église était le seul lieu de rendez-vous fréquentable. Sur le pas de la porte, comme le soleil filtrait en gloire entre les branches d'un poirier, il leur dit en confidence que le village avait aussi un poète. Et comme les Désarmoise restaient silencieux, il ajouta, un homme célèbre.

Chaque dimanche, ils allaient entendre la messe au village. En s'agenouillant sur les prie-Dieu abandonnés par les ex-propriétaires, ils faisaient acte d'occupant. Le nom sur le cuivre des prie-Dieu avait la sonorité de la plaque rouge du portail de la Propriété. Les gens aux noms de coteaux et de prairies le comprirent. Un salut de la tête auquel il fut répondu par un imperceptible hochement du menton. Un chapeau tenu à la main qui reçut en échange l'inclination d'une tête. Des sourires qui se rencontrèrent sans que l'on sût qui avait ainsi brusqué les choses.

La rencontre eut lieu le huitième dimanche après la Pentecôte. Les gens d'en haut allèrent vers les Désarmoise qui esquissèrent un pas vers eux. Le Curé eut juste le temps de les rejoindre sur le parvis pour faciliter les choses, les présenter peut-être, bien qu'ils ne connussent qu'eux, annoncer la nouvelle et se retirer avec discrétion. Il en résulta une invitation pour on ne savait trop quoi, en tout cas pour plus tard, à laquelle le Curé fut naturellement convié. Vous nous ferez l'honneur et le plaisir...

Pour tuer le temps avant le déjeuner, ils allaient à petits pas à travers le village que midi avait vidé. Un visage plat derrière une vitre. Deux femmes que leur passage figeait longuement de part et d'autre du grillage d'un jardin potager. Quel calme enchanteur, disait Madame Désarmoise. Ils marchaient jusqu'au bout de la route où se trouvait une petite maison grise couverte de roses qu'ils baptisèrent la maison du poète. Ils la trouvaient plus poétique que la grosse villa jaune aux volets rouges qui lui faisait face. Ils étaient rassurés sur la production de celui qui en était issu. Cela ne pouvait être que champêtre, charmant. Le Colonel Désarmoise chantonnait : Mignonne, allons voir si la rose...

*

Maintenant qu'ils étaient de la Propriété, il leur était difficile de vivre en ville et d'en subir l'emprise, si l'on pouvait appeler ville le vaste parc de la Pension Montmorency dont ils ne sortaient presque pas. Le Colonel Désarmoise avait montré à Tiffany la différence entre les arbres de la ville et les arbres de la campagne. Devant les magnolias énormes et les cèdres géants de Mademoiselle Pauline, ils ressentaient une vive pitié. Ces arbres n'allaient pas bien, ils étouffaient, et du pied, pour appuyer ses dires, le Colonel détachait un peu de terre qui s'effritait.

Pourquoi n'y habite-t-on pas ? s'entêtait Tiffany. Les réponses balançaient entre la plus définitive des assurances et la plus certaine des menaces. Tu iras si tu es sage, lui disait Mademoiselle Pauline qui pensait qu'elle n'irait jamais. Et voilà que chaque semaine, au bout des doigts de la chère Mademoiselle, fleurissait une enveloppe by air mail. Les lettres se succédaient à une cadence qui en révélait la véhémence. Ce sont de bonnes nouvelles ? s'inquiétait la vieille fille qui attendait le timbre. Tiffany procédait plus subtilement. Ça y était ? Cette Propriété, on l'avait ? Ses grands-parents se laissaient prendre. Oui, on ne pouvait pas reculer. Sa maman finirait par comprendre. Chut, pas un mot à Mademoiselle Pauline !

Il ne restait plus qu'à faire sa cour à la châtelaine, claustrée dans son appartement de la ville. Ils y allaient par devoir. Au poing de Tiffany, un bouquet. Le regard de la vieille dame se posait d'abord sur lui : une feuille de palmier en éventail, deux ou trois dahlias blancs, un lys martagon, une branchée de baies rouges. Bouquets à l'odeur amère que l'enfant présentait de face, se piquant le menton aux pointes de la feuille de palmier, remarquant par-dessus l'infime flétrissement du lys orangé, le cœur bouclé et vert du bouton de dahlia caché derrière les grosses fleurs. Si j'avais su ! regrettait Mademoiselle Pauline qui avait composé le bouquet.

La châtelaine n'y voyait que l'intention, qui n'était ni excessive, ni faible, une intention à l'état pur, et en débarrassant Tiffany encombrée, selon le degré de maturité de la rondeur des hortensias ou des branches démultipliées des asters, remerciait et récompensait l'enfant à son prix, d'une mince sucette, d'une tranche d'acidulé croquant, d'une pastille crayeuse ou d'une boule de gomme verte comme de l'anis, et fade comme on ne peut le dire.

Dans cette entreprise de pesante diplomatie, la présence de Tiffany, enfant, donc innocente, fille donc sage, pesait son poids de rassurance. Comme ils ne parlaient ni les uns ni les autres d'eux-mêmes, ils parlaient de la petite fille et n'abordaient du côté de la Propriété que par le biais de Tiffany. L'air y était bon, on comprenait, bon pour les bronches de Tiffany. Les immenses terres, que les yeux de Tiffany ne pourraient voir jusqu'au bout, seraient ses terrains de jeu. Les arbres fruitiers produiraient pour Tiffany. Et comme Dieu qui donne à l'homme des compagnons animaux pour l'aimer, le nourrir et le distraire, on donna toute une ferme à Tiffany, le fermier, la fermière et le chien. Tiffany croyait tout ce qu'elle entendait. Ce cadeau n'était pas démesuré. C'est ainsi que la vie lui paraissait bonne et qu'elle fût, son enfance durant, protégée par des grands-parents qu'elle aimait, une sorte de garde du cœur, lui semblait juste et naturel. Elle n'avait besoin de rien d'autre.

A écouter l'histoire enchantée de sa maison, la vieille dame se prenait à regretter de s'en être séparée. Les mots qui ravissaient l'enfant séduisaient la châtelaine. Vue comme cela, la Propriété lui semblait bien agréable. Elle aurait aimé, elle aussi, jouer dans le kiosque au fond du parc ou partir en expédition vers les noisetiers. Elle oubliait qu'elle n'était plus une petite fille. Et Tiffany posée sur sa chaise, sage et recueillie, lui paraissait un petit double, une petite sœur que l'âge lui avait donnée. Elle étouffait un soupir : Comme la Propriété était belle ! elle n'avait dans sa longue vie rien vu qui pût lui être comparé. Le Colonel lui dit qu'il y aurait beaucoup de travaux à faire.

*

Papiers, rideaux, peintures, carreaux et carrelages, Tiffany participait à tout. Elle suggéra du bleu pour le salon, tranchant l'affreux dilemme d'un choix primordial. Car au rose fille et au bleu garçon, s'ajoutait l'idée préconçue que le rose était pour les blondes et le bleu pour les brunes. Brune, elle était vouée au bleu. Mais à peine s'était-elle faite à l'idée du bleu, un peu à contrecœur — le bleu de ce temps-là n'avait pas les profondeurs vertes qui l'eussent animé mais tendait vers le gris donc vers le neutre —, que l'on redressait ses idées erronées. Mais non, le bleu était pour les blondes, les blondes bleues aux yeux bleus, le rose pour les brunes. Pourquoi, on n'en savait rien, pour le teint peut-être. Le teint qui n'est pas une couleur pourtant. Le rose qu'elle récupéra sur le tard ne lui apporta pas l'harmonie d'un rose acquis, fille et brune, dès la naissance.

On avait utilisé subtilement le blanc, le beige,

et aussi le chartreuse pour la cage d'escalier. Madame Désarmoise allongeait doucement la couleur, chartreu-euse, avec tant de délicatesse dans l'expression que la couleur que Tiffany eût sans doute trouvée jaunâtre ou verdâtre lui apparaissait comme le summum du raffinement et de la recherche. On ne l'avait pourtant pas ménagée, elle s'étalait richement d'étage en étage et du pied de l'escalier, on la voyait se diluer dans l'ombre, haut, très haut, très loin, comme dans un gosier. Après un tel effort d'élégance, parce qu'ils n'en pouvaient plus d'avoir les peintres, pour que l'on en finisse enfin, ils avaient arrêté le rose. Le rose s'étala donc sans nuances, en gouttes épaisses sur les murs du dortoir, pièce dénommée ainsi en raison de ses proportions inutiles. Ce débarras aux armoires et aux lits dépareillés reflétait dans ses longs miroirs, comme des yeux roses, cette couleur opaque, aveugle, étouffante.

Il aurait été vain de croire qu'en la coloriant et en la modernisant, ils avaient changé la maison. Tiffany découvrit qu'en dehors de tout ce qu'ils avaient ajouté ou enlevé, elle tenait aux sentiers que ses habitants y avaient tracés. Des chemins de bas en haut et de haut en bas, des trajets successifs et complémentaires qui se doublaient d'un rapport secret avec la maison. L'ascension passait près du mur, loin de la rampe et demandait par l'inclination de l'épaule et du front une aide ou un appui à la pierre. La descente accrochée à la rampe, glissant le long des marches vers le miroir du rez-de-chaussée, se détachait de la maison pour n'appartenir qu'à celui qui plongeait vers sa propre image.

C'étaient des voies uniques que l'on ne pouvait bouleverser. Jour après jour, année après année, génération après génération, tous les propriétaires de la maison étaient passés par là. Ils mirent à leur tour leurs pas dans ceux des châtelains qui les avaient précédés sans penser que la maison les conduisait et qu'en dépit des transformations qu'ils décideraient, ils ne bouleverseraient jamais son ordre intime. Dans leurs peines, leurs joies, à la tombée du jour, dans l'engourdissement du matin, hiver et été, il leur faudrait passer par la volonté sans appel du trajet vertical.

Ils se soumirent donc à ce rythme binaire, celui de la montée vers les chambres, le soir, et celui de la descente vers les pièces de réception, le matin. Silence en bas, et puis silence en haut. Les étages restaient déserts tout le jour. Il aurait fallu un événement exceptionnel, la maladie, un mouchoir oublié pour que cette habitude fût rompue, et encore Madame Désarmoise se soignait-elle aussi en bas et l'on trouvait toujours un mouchoir dans un manteau accroché dans le vestibule. Mystère solaire des chambres à midi.

En bas, dans le trajet horizontal, la maison dispersait toute son énergie. Elle fuyait par toutes les portes, les portes-fenêtres et les fenêtres devenues portes. Le bas appartenait au jardin, au parc, à la ferme, à la Propriété. Les paillassons boueux ou les décrottoirs terreux marquaient les limites d'un seuil qui n'existait que dans l'esprit des Désarmoise. Combien de visiteurs égarés du côté de la cuisine, la face pâle écrasée sur les carreaux, le doigt en crochet pour un signe sonore, furent détournés par un index tendu dans la direction opposée, qui les égarait vers la souillarde. Sur la terrasse, c'était vers les portes-fenêtres que se dépêchaient les invités, ils secouaient le pêne côté bureau, côté salon, ils s'appuyaient contre les vitres, s'introduisaient de force, mais ne sonnaient jamais à la grande porte que les Désarmoise n'ouvraient pas.

*

Comment ça va, mon Colonel ? Apparemment, l'inconnu n'était venu que pour s'enquérir de la santé du nouveau propriétaire. Il entrait dans le bureau. Le Colonel réclamait des verres et Tiffany les apportait. Une goutte, seulement une goutte, protestait le visiteur qui tenait toujours son couvre-chef à la main. Allons, insistait le Colonel Désarmoise d'un ton qui n'admettait pas de réplique, il remplissait le verre à ras bord. L'autre faisait du regard le tour de la pièce. C'est qu'ils en avaient fait des transformations. Avant ce n'était pas comme ça.

Depuis le temps qu'ils la connaissaient, cette maison. Vous parlez, déjà le père de la mère y avait vécu. Alors, vous retrouvez des souvenirs ? demandait Madame Désarmoise, prête à s'émouvoir. Des souvenirs ! Un jour ou l'autre chacun avait pensé l'acquérir. Tous en avaient rêvé. Ces prétentions qui s'exprimaient avec tant de liberté dépossédaient les Désarmoise et leur maison leur était rendue pour ses vices cachés. Ce n'était pas eux qui avaient fait une bonne affaire en achetant, mais les autres en y renonçant. Le Colonel les interrogeait, leur donnant par ses questions un pouvoir qu'il ne mesurait pas toujours. L'humidité, vous vous êtes rendu compte de l'humidité, mon Colonel ?

Ils n'avaient plus qu'à formuler une demande dont la satisfaction était par avance acquise. Le prêt d'un champ pour tirer le feu d'artifice, un passage de chasse, une trouée dans la haie pour permettre aux vaches de venir boire sans passer chez Sallenave ni traverser le bois à Carrerot, un découpage de terres précis, une stratégie militaire qui séduisait le Colonel. Ils n'avaient qu'à aller tout droit ! Souvent ils demandaient la permission de photographier les noces dans le parc, comme cela était paraît-il de tradition.

Sous le chêne d'Amérique, on arrimait les tréteaux. Le cortège se hissait. Les jeunes en haut ! Pressons ! Rentrez les épaules, dégagez la main droite. Au centre du quinconce rayonnaient les mariés. Regardez, souriez. Un claquement sec figeait le ricanement nerveux du marié. On en faisait une autre ? La nuque raide sous le voile étiré, la mariée était bien sage. Tout devant, deux petites filles s'agitaient et grimaçaient de part et d'autre de la corbeille, panier peint, œillets blancs, nœud de satin, asparagus. Ne bougez plus !

Les jeunes mariés allaient ici et là dans le parc. Le photographe faisait quelques clichés naturels. Là, non, là. Ils se regardaient par-dessus la fontaine, sous les roses. C'est dommage qu'il n'y ait pas de calèche, elle aurait pu monter dedans. Il aurait tendu la main pour l'aider à descendre. Cela aurait été romantique. Au Cheval Blanc, il la faisait toujours, elle plaisait beaucoup. La mariée, soudain frustrée, regrettait la photo qu'elle aurait eue si elle avait été au Cheval Blanc.

Derrière la noce, les grilles se refermaient. Le fermier cadenassait le portail. Sur son élan, il montait à la maison et faisait entendre ses revendications au Colonel Désarmoise. Le feu d'artifice brûlait la prairie, les chasseurs piétinaient les champs, quant à la noce, savait-on seulement ce que les garçons d'honneur avaient fait dans le bois ! Le Colonel s'excusait. Et puisqu'il avait ouvert son sac, le fermier continuait. A l'en croire, la Propriété était une terre abandonnée des dieux, il ne disait pas maudite, mais presque, il disait : QU'EY MÉCHANTE.

La terre n'était pas si mauvaise, mais les fermiers avaient de la rancœur. Ils avaient appréhendé la vente de la Propriété comme une catastrophe qui les emporterait. Ils furent surpris de rester. Déjà, la fermière renâclait à l'idée de servir en haut. Déjà, ils déploraient les dérangements de l'inventaire. Il y avait une vache de trop, comment la partager ? Le Colonel proposa de la donner à Tiffany. Ils furent scandalisés. Une vache, à son âge ! Cora, dit Tiffany.

*

Le Colonel et Madame Désarmoise n'avaient pas les manières de ces gens-là, ils n'en avaient pas le langage et de quelque façon qu'ils s'y prissent, ils leur demeuraient étrangers. Pour la Propriété, le village existait si peu, encore moins que le BON Curé ne l'avait soupçonné. Ils saluaient l'épicier qui se trouvait être par ailleurs un ancien de l'équipe de France de rugby, ils saluaient aussi le charcutier qui avait épousé une Allemande, le ferrailleur qui avait ouvert son garage, la postière qui était jolie comme toutes les postières et le coiffeur qui chassait. Ils les connaissaient tous, mais ne les pratiquaient que pour l'épicerie, le timbre ou pour se faire rafraîchir la nuque.

Comme il était agréable à traverser, ce village où chaque porte correspondait à un métier précis, inclus dans la ronde des métiers nécessaires à la communauté et surtout à la Propriété. Dans leur hiérarchie, ils préféraient ceux de la tradition, délicieux reliquats du passé qui permettaient au Colonel Désarmoise d'évoquer son village natal où le bourrelier tenait la place d'honneur. Ils recouraient au cordonnier, moins glorieux, qui œuvrait dans une minuscule échoppe, au fond d'une cour. Sur la montagne de chaussures éculées, l'apparition des escarpins de chevreau de Madame Désarmoise, qui la chaussaient COMME DES GANTS, sublimait moins la situation du cordonnier, jugé digne de tripoter pareils souliers, qu'elle ne faisait reculer dans l'innommable, le grossier, le sale et surtout le pauvre, le tas de godasses qu'il délaissait pour que la Dame d'en haut eût plus vite sa bride recousue.

Un autre artisan avait l'honneur de servir la Propriété, un tailleur pour hommes que Tiffany ne vit jamais qu'entouré d'étoffes grises, sombres, sinistres, éteintes. Il rapetassait les costumes du Colonel. Il pinçait la carrure, réduisait les revers. A genoux, il vérifiait la largeur du pantalon. Sur le comptoir de bois, dans de grandes revues, Tiffany pouvait voir les silhouettes qu'il essayait de traduire par ses petits gestes : des hommes gigantesques aux vestes épaulées, aux pantalons fuselés, qui fumaient de longues cigarettes, une canne de golf à la main ; pour montrer la découpe d'une manche, le styliste avait mis tous ses soins dans la main qui tenait la bride d'un cheval. Cela vous tente, mon Colonel ? Il feuilletait les gravures, tenez, voyez ceci, cela. Il faisait glisser ses doigts sur les rouleaux de tissu, en froissait le bout : Un grain de poudre, mon Colonel ? Non, il ne transformerait pas le Colonel en gravure de mode. En revanche, on lui laisserait toute latitude pour le manteau de la petite.

De la même façon, on conduisait Tiffany chez le coiffeur. Elle y allait en compagnie de son grand-père, côté hommes. Rien que pour la frange. Dans l'odeur chaude de l'eau de Cologne : la verte ou la jaune ? et dans le bruit froid des instruments, elle écoutait des histoires de chasse. S'il régnait une certaine égalité chez le coiffeur, c'était celle du chasseur. La hiérarchie n'y avait rien de social. Un pauvre type, selon l'expression qu'utilisait le Colonel pour désigner une humanité à la limite de la misère, pouvait être un grand chasseur, ce n'était qu'une question d'adresse et de palombière. Il circulait des histoires de plumes et de poils et dans le claquement des ciseaux, Tiffany croyait entendre le chien du fusil.

Avec sa grand-mère, toujours pour la même frange que l'on taillait trop court de peur qu'elle l'empêchât de bien voir, elle était passée du côté femmes. Dans cette partie de la boutique fleurie de bleu, on entendait à travers la cloison le rire des hommes. Les femmes restaient silencieuses et rouges sous les casques vrombissants. Elles en sortaient avec des têtes congestionnées hérissées de minuscules bigoudis qui faisaient dire invariablement : Il faut souffrir pour être belle. Alors à grands coups de brosse de fer, la coiffeuse arrachait les cheveux de la malheureuse qui avait trop cuit. Madame Désarmoise retirait des mains de Tiffany ces journaux meurtris pour avoir été touchés : Ce n'est pas propre, tout en recommandant à la coiffeuse : la frange, seulement la frange, s'IL VOUS PLAÎT.

*

Le Colonel et Madame Désarmoise ne poussèrent pas plus avant leur tentative d'intégration. Il aurait pu en être autrement avec les colonels qui, la guerre finie, s'étaient installés aux alentours pour y passer des retraites longues et pleines de tous ces rêves qu'ils s'étaient juré de réaliser si les balles les épargnaient. Ils avaient acheté, et parfois fait construire, des « Villa bleue », et des « Castel rose » et sans la Propriété, sur le perron d'une « Palmeraie » ou d'une « Addis-Abeba », le Colonel Désarmoise n'aurait été qu'un colonel. Un fait majeur différenciait encore le Colonel Désarmoise de ses compagnons désarmés, c'était que lui avait été d'active, les autres n'avaient été que de réserve ! Cela expliquait qu'ils fussent restés dans leurs trous idylliques et que le Colonel Désarmoise, seul, se fût élevé.

La nature leur faisait passer un test de durée, cruel parcours du combattant. De pêches ratées en chasses boueuses, beaucoup coulaient, ne résistant pas à la monotonie des hivers pluvieux. Entre la mort et eux, ne s'interposaient plus qu'un jardinet, une femme grise, une chopine de jurançon. Certains qui avaient eu la prémonition de leur destin étaient morts dans les trois mois. Classique, il faut s'occuper, triomphait le Colonel Désarmoise, un des tenants de la longévité. Avec ceux qui restaient, il allait déposer sur la tombe un petit morceau de marbre barré de tricolore : A notre camarade. Le Colonel Désarmoise ne se sentait pas le camarade du maladroit, qui était mort d'accablement. Il gardait le visage contracté de colère.

Il ne restait pour faire le lien entre le village et la Propriété que le médecin et la bonne. Le médecin venait chaque semaine. Il jaillissait de sa voiture, entrait sans en être prié et montait tout seul à la chambre de la malade. Il clamait un : Bonjour, ma vieille, que Madame Désarmoise, horriblement choquée, accusait par un mutisme de pierre et une poussée d'hypertension, si bien qu'il la trouvait toujours — Bonjour, ma vieille — muette et hypertendue. Il ne voulait pas la blesser mais l'assurer d'emblée qu'il ne venait que pour le principe, qu'elle n'avait RIEN. Il l'auscultait, la faisait tousser et confirmait ce qu'il avait annoncé sur le pas de la porte : RIEN.

En bas, il laissait paraître ses doutes. Il n'était plus très sûr que Madame Désarmoise n'eût RIEN. Le Colonel qui affichait un mépris congénital pour la maladie qu'il ne tolérait, et seulement chez les femmes, que sous la forme innocente de la fatigue, le rassurait. Allons, allons, elle se faisait des idées ! Elle avait toujours été comme cela ! Elle se frappait ! Le moral, il en faisait son affaire !

Comme le médecin, la bonne montait et entrait sans s'annoncer. Comme le médecin, elle choquait fondamentalement la vieille dame. Comme le médecin, elle prononçait ces mots grossiers que l'on dit quotidiens et qui dévoilent le corps. Mais dans ses yeux jaunes, c'était un autre diagnostic qu'on lisait. Elle ne lui en donnait pas pour longtemps ! Faiseuse d'enfants, devenue laveuse des morts, elle savait. Silencieuse et voyante, elle tournait autour de Madame Désarmoise, cherchant par quel bout la mort la prendrait. Tiffany s'interposait, remontait les couvertures, lissait les draps, retapait l'apparence, dissimulant au terrible regard le petit mouchoir sanglant.

Lorsque la cloche de l'église sonnait le glas ou le carillon, la bonne réveillée en sursaut devenait prolixe. Elle racontait au Colonel le ventre bombé de la mariée EN BLANC, le nouveau baptisé au père indéfini. Sur les morts, elle était intarissable, des premiers symptômes au dernier soupir en passant par les grandes douleurs. Les mains dans l'eau sale de la vaisselle, elle parlait le corps tourné vers le Colonel. Il ne voulait pas la croire — c'était demander plus de détails — et comment savez-vous ça, VOUS! Il l'insultait! Comment elle savait? Elle montrait ses mains ruisselantes, elles avaient fait la toilette. Alors le Colonel disait PAUVRE TYPE, on ne savait pas si c'était par mépris ou par pitié.

*

Les fréquentations venaient d'ailleurs. Les bridgeurs jetaient un rapide coup d'œil aux Pyrénées pour voir si on les apercevait autant qu'on le disait et se dirigeaient le dos cassé vers les fauteuils où ils reprendraient souffle. L'Excellence, qui avait entassé dans sa grosse auto de quoi garnir deux tables, extirpait les chapeaux, les cannes et les manteaux dont ils s'étaient débarrassés pour tenir moins de place. Au-dessus, il y avait les bouquets. Ils étaient composés de fleurs parfumées, sept, onze,... jamais douze, chiffre pair donc imparfait. Des œillets rouges haut bagués par de minces fils de fer verts, disposés par étages dans un papier de Cellophane qui les éteignait, roses ou grenat?

Pris au dépourvu d'un vase que la bonne, surexcitée par ces morts en sursis, ne retrouvait pas, ceux de la Propriété se trouvaient embarrassés par un don qu'ils attendaient pourtant et dont ils se seraient vexés s'il ne leur avait point été fait. Le Colonel Désarmoise restait irrésolu devant ces fleurs qu'il n'aimait pas. Tiffany qui les aurait bien emportées n'en avait pas le droit. On attendait que Madame Désarmoise s'écriât comme devant des raretés exotiques : Oh! des œillets de Nice ! Le vent de la mer balayait les parfums.

Des amis des Murano, pour qui la Propriété se trouvait sur l'itinéraire élastique des congés, venaient de Paris, de Saint-Tropez, du bout du monde. Ils apportaient des nouvelles. Le Sénégal n'était plus le Sénégal, mais le Congo-Brazza, c'était encore le Congo-Brazza. Ils venaient constater de visu ce que Matilde Murano, la fille des Désarmoise et la mère de Tiffany, leur avait dit de la Propriété, voir si la distance n'avait point fait enfler les choses. Ils arrivaient au volant de voitures trop neuves avec des plaques rouges, autant de Propriétés Privées. Ils disaient le plaisir qu'ils avaient à être en vacances, mais surtout l'impatience qu'ils avaient à revenir là-bas. Le Colonel ne les retenait pas, il ne contrarierait en aucune façon un passage que l'on devinait tendu vers les lieux de plaisir. Le regard voilé, la voix inaudible, Madame Désarmoise découvrait dans un sourire angélique ses incisives qui mordaient sa lèvre. Comme elle se sentait lasse! Le Colonel offrait un apéritif, ils voulaient DU WHISKY.

Midi sonnait dans une atmosphère tendue jusqu'à la rupture. Bâillements. Ils n'allaient pas être en retard, au moins? Pour ne pas rester seuls, les plus acharnés d'amitié coloniale invitaient tout le monde à déjeuner. Le Colonel maugréait. En s'y prenant comme ça, on n'était pas sûr d'avoir une bonne table et à cette heure, il ne resterait plus de saumon. Tiffany, lovée contre sa grand-mère, restait sur ses gardes devant des gens qui ressemblaient à s'y méprendre à ses parents.

Pour finir débarquaient les parents de Madame Désarmoise, toute une lignée de gens de l'Est, universitaires détenteurs de vacances immodérées, passionnés de campagne du petit déjeuner au dîner, avec gelée de groseille de la Propriété, lait de la ferme et truite de la rivière. Ils ne demandaient qu'à s'installer dans un été béarnais en corne d'abondance. Malheureusement, leur tante était bien malade. Ils ne dérangeraient pas. Le Colonel les envoyait se distraire à Biarritz, à Saint-Jean-de-Luz, à Hendaye... Et en plus si près de l'océan! Tiffany n'y était jamais allée, mais c'est tout juste si les cousins ne lui reprochaient pas de ne pas en profiter assez, de n'être pas bronzée. Eux n'avaient que des torrents! Les plus jeunes dévêtaient leurs corps pâles sur une plage où les vieilles en noir, chapeau sur la tête, trempaient dans l'écume des jambes épaisses et livides. Tiffany restait avec les plus âgés à la terrasse du café de la plage, du bout d'une paille elle suçait une menthe à l'eau.

Il lui tardait de rentrer, toutes ces dissipations, ces exclamations joyeuses et reconnaissantes la fatiguaient. Elle attendait avec impatience le moment où les feux arrière de leur auto passeraient le portail, tandis que plus haut, ils garderaient la main levée en signe d'au revoir. Entre nous, se disaient-ils, on reste entre nous.

II

Mais non, elle ne voulait pas y aller. Ce n'était plus la peine puisqu'elle était passée en cinquième et qu'ils avaient acheté la Propriété. Non, s'il vous plaît, s'il vous plaît ! Ils restèrent inflexibles et lui découvrirent une éternité chez les Dames Sanguinaires. De quelque façon que l'on s'y prît, que l'on comptât en âge, 12, 13, 14, 15... en augmentant, ou en années scolaires, quatrième, troisième, seconde... en diminuant, le temps était le même. Devant cette évidence, Tiffany resta écrasée de surprise douloureuse. Ce n'était pas eux qui le voulaient, mais l'époque qui exigeait que l'éducation des filles durât.

En ultime recours, Madame Désarmoise l'avait assurée que le temps passerait vite et qu'elle lui écrirait pour lui couper la semaine. Attendre, couper, durer, gagner, comme les jours étaient longs pour arriver au seul être et au seul moment important à vivre. Cette grand-mère qui s'offrait en viatique pour la semaine, le mois, l'année, elle n'en aurait jamais assez, même si elle en suivait le conseil remarquable : Qu'importe que vous ne me voyez pas, l'important est de savoir que j'existe. Elle parlait comme Dieu, cachant sa réalité mais exigeant que la foi fût immense. Dieu est partout, avait-on dit à Tiffany. Dieu était partout mais surtout au cœur de l'ostensoir d'or, dans la matière arachnéenne de l'hostie. Sa grand-mère était partout puisqu'elle n'était pas près d'elle, mais elle régnait au centre de la Propriété.

Le jeudi, Madame de Sainte Chantal distribuait le courrier. De savoir la lettre là, écrite peut-être depuis deux jours, en souffrance depuis la veille, Tiffany ne tenait pas d'impatience, tendue vers elle, doutant de la recevoir puisqu'elle n'arriverait qu'à son heure, c'est-à-dire trop tard. Comme Mademoiselle Pauline avait refusé de reprendre ses équipées sous prétexte qu'elle n'avait plus le temps, montrant par là ce qu'elle pensait de la désertion des Désarmoise, Tiffany devait endurer la longue promenade réglementaire. Avec sa Dizaine, elle allait se perdre dans le bois du château sur les hauteurs de la ville. Les yeux au loin, elle se fixait des limites à ne pas dépasser pour être plus vite revenue, mais elles enjambaient les souches, sautaient par-dessus les fossés, montaient les côtes et se laissaient emporter par les descentes. La traîne retenue par sa ceinture, Madame de Sainte Chantal filait toujours plus haut, toujours plus loin.

Les grandes n'en pouvaient plus. On s'arrêterait donc là. Les petites jouaient. Effaçant le décor, elles recréaient la cour : un carré, un rectangle, le lieu absolu d'une marelle. Tiffany s'asseyait près de Madame de Sainte Chantal. Elle guettait un signe, une petite assurance, un mot d'espoir, une demi-promesse. Rien. La Dame priait à l'intérieur d'elle-même. Dehors, Tiffany ne pensait qu'au-dedans.

Au retour, Tiffany sentait monter la joie, plus que trois, plus que deux, une rue, la porte se refermait avec bonheur. Alors, le doute surgissait, il lui mettait des si dans la tête, elle mourait. Madame de Sainte Chantal attendait que les élèves aient remis leurs tabliers, qu'elles aient repris leur place dans la salle d'étude pour aller chercher le courrier. Elle revenait, un paquet à la main. Tiffany en appréciait l'épaisseur, non parce qu'elle attendait une lettre plus grosse, elle ne désirait que la minceur d'une certaine enveloppe sur le craquant d'un certain papier, de la recevoir autrement l'aurait bouleversée, mais elle calculait que dans un paquet plus important, sa lettre aurait plus de chances de se trouver. S'il y en avait beaucoup, elle en aurait un peu.

Madame de Sainte Chantal énonçait les noms inscrits sur les enveloppes. Comme pour les compositions, où l'on ne sait si le professeur dresse la liste en partant du haut ou en partant du bas, Tiffany ne savait s'il était préférable d'être désignée d'abord ou à la fin. D'abord, c'était recevoir quelque chose de tronqué, l'inexistence d'une carte postale, une bouchée qui ne rassasierait pas. A la fin, c'était le martyre. A chaque nom, les chances s'amenuisaient ou grossissaient selon que Tiffany considérait de mauvais augure qu'une telle soit appelée, ou qu'elle pensait que la dernière enveloppe serait pour elle.

Marie-Françoise Murano éclatait sans que Tiffany eût rien vu arriver. Le cœur encore envahi d'appréhension, elle allait cueillir dans la main de Madame de Sainte Chantal la mince enveloppe. Eh bien, Marie-Françoise, vous n'êtes pas heureuse de recevoir une lettre de votre grand-mère ?

*

Madame de Sainte Chantal savait. Elle savait depuis longtemps que Tiffany avait une lettre, depuis le début de la promenade, bien avant peut-être. Pendant toutes ces heures, elle avait résisté de toute la force de sa prière à l'appel muet de Tiffany. Quelle force d'âme, quelle détermination, quelle discipline ! Elle l'avait fait avancer, elle l'avait fait attendre, et maintenant elle lui permettait de lire. Tiffany recevait des enveloppes ouvertes, incisées comme des ventres de poisson. Elle n'avait plus qu'à déployer le papier qui venait d'être replié dans ses marques pour découvrir ce qui n'était plus un secret ni un mystère.

L'écriture adorée était là, aussi fragile, aussi délicate que le papier qu'elle couvrait, toute cette légèreté qu'elle tenait à la main lui éclaircissait le cœur. Pour lire, elle avait tout essayé, la lecture rapide, en courant pour calmer sa fringale — elle dévorait —, la lecture calme et posée, l'œil rivé à la ligne, au mot — elle ânonnait. Elle aimait les commencements et les fins, elle croyait voir dans les chère, les ma chère, les baisers, des marques uniques de tendresse, de vraies paroles d'amour, des serments formulés pour elle seule. Elle reconnaissait que Chère Marie-Françoise valait moins que Ma chère Tiffany qui valait cent fois moins qu'un rarissime Ma chérie. Le vous, véritable distinction, la pétrifiait de béatitude.

Pour le fond, la lettre ne disait rien d'autre que ce qu'affirmaient les Dames Sanguinaires mais elle le disait mieux. C'était invariablement un mélange de préceptes moraux et de réflexions champêtres, de vraies lettres pour petite fille. Il était question de bonnes Dames à moins que ce ne fût de bonnes Mères, de bonnes camarades, de bonne conduite, de bonnes études. Madame Désarmoise avait une vision abstraite de la vie de Tiffany qui devait se transformer en bien par le passage en ce haut lieu du bien qu'était les Dames Sanguinaires. Alors elle lui recommandait de bien écouter, de bien obéir et de bien travailler. Et de la lire, Tiffany se sentait bonne, meilleure, sur la bonne voie et le bon chemin.

De tout ce bien qui était bon, surgissait l'image de la Propriété, l'aventure d'un arbre, d'une feuille, d'une fleur. Rose dans un vase, rose épanouie, bouton de rose, une rose retenait au fil des lignes la plume de sa grand-mère. Le parfum de la « violette discrète », l'« ombre » de la feuille de châtaignier, sur la « mousse tendre », un « frisson de clématite », tout un herbier suave que les saisons renouvelaient à peine. Ah ! elle les voyait, ces « mésanges industrieuses », ce « bouvreuil frileux sur la branche », et cette « pie majestueuse ». Le bestiaire défilait bleu sur blanc, se fixant à jamais dans sa mémoire par la magie de cette écriture et de ce style d'autrefois qui éliminaient le normal, l'habituel ou le banal pour ne raconter que le poétique et le délicat. Tiffany s'enivrait de ces images qu'elle aurait bien aimé chanter tant elles lui semblaient musicales. Elle ne pensait pas qu'il pût s'agir d'autre chose que la réalité, d'un exercice littéraire, par exemple, au bon usage des Dames, pourquoi pas ? Ce que sa grand-mère signait de son ample et merveilleux Émilie-Gabrielle Désarmoise, c'était bien la vérité de la maison, de ses fleurs et de ses bêtes. Les unes après les autres, les lettres consacraient la beauté de la Propriété.

*

Tiffany lisait, la tête dans les mains, son unique littérature, sa poésie et son amour. Elle apprenait des passages par cœur pour pouvoir se les répéter en cachette, par surprise. Elle aimait toutes ces exclamations qui l'interpellaient au vif du cœur : Si vous voyez, si... Oh ! Ce SI lui emportait la bouche ! Elle voyait, elle sentait, elle imaginait. Les yeux clos, Tiffany communiait avec ferveur. Elle était là-bas, par la force des mots.

Malheureusement, il fallait revenir ici pour répondre. Voilà à quoi servait cette heure de correspondance qu'on ne devait étirer sous aucun prétexte, de peur qu'elle ne mordît sur le bain de pieds, l'événement de la semaine. Que dire de soi, quand on a l'esprit plein de l'autre ? En écrivant, Tiffany recopiait des phrases entières de la lettre qu'elle venait de recevoir et elle ne disait rien d'elle-même. Comme sa vie lui paraissait fade à côté de ce bonheur brillant. Les arbres sous lesquels elle avait passé l'après-midi n'avaient pas la taille amoureuse de ceux de la Propriété, le soleil qui avait retardé son retour n'avait pas l'éclat de celui qui courait sur le papier à lettres et les violettes mâchées qu'elle rapportait de la promenade n'étaient que des violettes.

Et si parfois le chagrin était trop fort, que pouvait-elle dire ? Je suis malheureuse, j'ai de la peine, je suis triste. Comment infliger un pareil démenti aux assertions de bonheur, aux persuasions de bien-être qu'elle venait de recevoir ? Comment dire NON ? Elle ne pouvait exprimer sa détresse que contre sa grand-mère, contre la Propriété et cela lui était insupportable. Pourtant un petit vague à l'âme serait apprécié mais exprimé avec délicatesse pour n'y laisser percer que la sensibilité, pas la tristesse. Et Tiffany ne connaissait rien de plus dur que de dire qu'elle était malheureuse sans le dire. Elle ne trouvait que des mots hideux, grossiers, et encore n'exprimaient-ils pas tout ce qu'elle ressentait car pour le dire, il eût fallu des larmes et des cris, pas des mots.

Tiffany transigeait, elle écrivait qu'elle était heureuse, tout allait bien. Elle montait en épingle une bonne note comme le signe d'un mieux-être général. Elle était d'accord sur tout, sur les bonnes études, la bonne éducation, les bonnes Mères, les bonnes Dames. Seulement à la fin, elle suppliait qu'on vînt la chercher. Et alors les larmes débordaient, Tiffany écrivait que l'on vînt tout de suite, pas dimanche, elle voulait partir samedi avec les externes, elle voulait partir, partir...

Sur l'enveloppe, elle n'en finissait pas de rédiger le nom de sa grand-mère, puis elle y associait son grand-père. Le Colonel ? Colonel ? ou Monsieur le Colonel ? Ensuite elle calligraphiait le nom de la Propriété que l'on avait convenu d'appeler Domaine de... plutôt que le Château de... bien que l'opinion publique et l'avis circonstancié du Curé les y eussent autorisés. Elle remettait sa lettre ouverte. Madame de Sainte Chantal la lisait, elle corrigeait à l'encre rouge, Tiffany devait justifier un post-scriptum un peu pressant, enlever une répétition, atténuer un mot. Madame de Sainte Chantal corrigeait ses fautes d'expression : Prenez donc modèle sur votre grand-mère qui a un style élégant. Elle corrigeait les fautes d'orthographe : Que va-t-on penser de l'enseignement que nous vous dispensons ? Elle corrigeait ses fautes de cœur : Vous ne voulez pas attrister votre grand-mère, j'es-

père ? Êtes-vous donc si malheureuse avec nous ?
Tiffany disait non. Alors, allez recopier.

Il ne restait plus qu'à se laver les pieds,
attendre une autre lettre qui ne viendrait peut-
être pas. Liraient-ils, à travers toutes ces lignes
calmes et apaisées sur le bonheur d'être éduquée
aux Dames Sanguinaires, l'urgence qui les dic-
tait ? Verraient-ils, comprendraient-ils sans s'in-
quiéter qu'elle mourait ici ?

*

L'après-midi s'achevait au sous-sol, dans une
grande salle qui regroupait, au centre les cabines
de bain, et le long des murs des haricots bleus de
fer émaillé, portés par des x de fonte. Les sœurs
remplissaient les baignoires obèses aux pieds
grêles avec de grands gestes qu'amplifiait la
vapeur et mesuraient la température, toujours
trop faible au gré des utilisatrices, toujours trop
chaude à leur avis. Il n'y avait que dix cabines,
tout le monde n'y avait pas droit. Seules les
pensionnaires à l'année, celles qui ne sortaient
jamais (pour l'Économe, une sortie équivalant à
un bain) en disposaient une fois par quinzaine.
Et encore ce bain tant attendu n'était-il octroyé
qu'à contrecœur. Quand on est propre, on n'a
pas besoin de se laver.

Tiffany se serait bien glissée jusqu'au cou dans
l'eau chaude, pour rien, pour sentir l'eau l'envahir, pour s'abandonner avec tendresse à l'enivre-
ment de son cœur. Il lui semblait qu'elle aurait
aimé refermer une porte sur elle, ne serait-ce que

celle de la cabine, seule et nue elle aurait pu disparaître les yeux fermés dans les souvenirs que la lettre avait fait affluer. Peu à peu, elle se serait délestée de toutes ses alarmes, il ne serait resté que le doux, le liquide, le moelleux. Immobile, elle aurait oublié, et l'eau en s'écoulant aurait emporté son malheur. Elle en serait sortie, fraîche et neuve, réparée.

Pour les pensionnaires ordinaires, le bain de pieds était largement suffisant. Après avoir rempli un broc et versé dans le haricot la mesure d'eau nécessaire, elles ne déchaussaient qu'un pied, le lavaient, l'essuyaient, le rechaussaient et recommençaient avec l'autre. Si elles avaient eu mille pattes, elles auraient recommencé mille fois. L'attention des Dames était concentrée sur les portes des cabines auxquelles elles frappaient de temps en temps pour rappeler à l'ordre la jeune fille qui se vautrait au fond de la baignoire, elles délaissaient les utilisatrices des pédiluves dont la morale était moins menacée. Les pensionnaires parlaient, riaient et quelquefois réinventaient, en s'éclaboussant, la mer.

Il suffisait d'un peu d'eau et d'un peu de peau dévêtue pour se sentir libre, libre d'une liberté absolue. L'ordre des Dizaines, bon pour les cérémonies, les repas ou la promenade était bouleversé. Ici, on se regroupait selon le cœur c'est-à-dire l'âge. Les alouettes cherchaient les fauvettes et s'adjoignaient une mésange particulièrement sympathique. Se laver les pieds côte à côte était un des devoirs sacrés de l'amitié, les Dames n'y pouvaient rien, juste rappeler la mesure, menacer du silence. Les pédiluves avaient été pris d'assaut, certains inoccupés retenus : Non, c'est pour Élizabeth, la place est prise ! et joignant le geste à la parole, les gardeuses mettaient promptement dans la cuvette une serviette, une boîte à savon, leur pied chaussé s'il le fallait. Elles étaient de terribles janissaires.

Tiffany, au bout du rang, gardait aussi un pédiluve. La figure tournée vers le mur, elle écoutait. Les voix montaient comme des chants et il n'était pas très sûr que dans le bruit certaines ne se missent à fredonner des airs interdits. La rumeur tenait plus de *Moulin rouge* et d'*Étoile des neiges* que de *Au ciel au ciel, j'irai la voir*... ou de *Ô toi, Mère chérie*. Les dents serrées, elle préservait encore un tout petit peu de silence, le temps de rêver, de savoir si elle se rappelait tout dans l'ordre, de la violette au bouvreuil en passant par, comment avait-elle dit ? le reflet-de-sucre-d'une-gelée-tardive-sous-le-soleil-déjà-clair. C'est libre ? Non. C'est pour qui ? Pour Émilie-Gabrielle.

*

Elle ne viendra pas, dit la petite fille qui attendait toujours dans son dos. Qui ça ? Ton amie, Émilie-Gabrielle, elle ne viendra pas. Tiffany pouvait donc lui céder sans inconvénient le pédiluve. Ce n'était pas la peine de s'obstiner. Elle avait beaucoup d'expérience. En déballant ses affaires et en dépliant sa serviette nid d'abeilles, elle expliquait à Tiffany qu'elle était dans le même cas. Elle attendait Michou Lacrampe. Une ambition exorbitante, elle voulait devenir l'amie de Michou, l'appeler Michou et non Michelle. Elle voulait faire partie du cercle à Michou, pas dans les deux ou trois intimes, non, mais dans les proches. Elle proposa une amitié à l'essai, elle prévint Tiffany. Au moindre signe de Michou, elle partirait. En s'essuyant le pied droit, Tiffany commença une amitié qui ne devait pas être éternelle.

Elles jouèrent à l'amitié, c'est-à-dire qu'elles firent ce qu'elles voyaient faire aux autres. Tiffany pour leur être semblable, Catherine — mais-appelle-moi-Cathy — pour montrer au groupe auquel elle rêvait d'appartenir que l'amitié, elle savait la faire. Elles s'attendirent à la porte du réfectoire, demandèrent à changer de place en classe : C'est mon amie ! Le soir, elles traversaient tout le dortoir pour se dire un secret à l'oreille. Pchupchupchu, disait Cathy qui n'avait rien à dire. Tiffany souriait, grosse d'une nouvelle qu'elle ne livrerait à personne. Dans la cour de récréation, elles s'enlaçaient pour en faire le tour en sautillant. Elles reçurent la consécration de leur amitié lorsque la Dame surveillante leur dit son fameux : Pas par deux, Mesdemoiselles, par trois ! Ainsi, elles étaient vraiment amies, on les persécutait.

Il ne se passait rien dans les cœurs. Pchupchupchu, soufflait Cathy pour faire semblant et Tiffany se lassait de cette haleine fade qu'elle recevait dans la figure. Dis-moi quelque chose, articulait l'autre, vite, elles regardent! Tiffany lui renvoyait son pchupchupchu. Elles passaient les récréations à haleter comme des locomotives. Elles s'ennuyaient. Tu sais *Étoile des neiges?* Tiffany ne savait pas. Tu n'as pas une histoire, n'importe quoi? Tiffany tenta de la distraire puis de la séduire. Elle lui racontait en serrant d'aussi près que possible le texte de Madame Désarmoise, les émouvantes beautés de la Propriété: Les arbres, la rivière, la colline ou la tour? Un chêne millénaire. Tu te vantes.

Tiffany sentait que Cathy en avait tellement assez qu'elle l'abandonnerait avant le signe de Michou qui pourtant mûrissait à l'autre bout de la cour. Laisse-moi te coiffer, demanda Cathy. Tiffany ne pouvait accepter. Ses nattes étaient si longues que la seule évocation de ses cheveux dans des mains malhabiles qui les emmêleraient lui donnait la nausée. Laisse-moi te coiffer, exigea la petite fille, et bien que ce ne fût pas dit, Tiffany comprit que c'était ça ou rien. Elle consentit, une natte, rien qu'une! Mais l'autre voulut tout défaire et une fois les cheveux étalés, elle y mit les mains, brouilla les pistes. Plus de raie. Tiffany en avait les larmes aux yeux, comment faire maintenant? L'autre s'excitait, elle savait coiffer, elle entreprit de passer son petit peigne de poche, de haut en bas, ce qui était tout simplement abominable et puis au jugé, crac, traça une ligne médiane, se trompa, recommença. Tiffany pleurait, Cathy s'énervait, elle savait coiffer mais pas tresser, elle entrelaça des choses molles qui pendirent comme des oreilles de chien.

Hep, siffla Michou Lacrampe. Moi ? demanda Tiffany. Moi ? demanda Cathy. Oui, toi. L'enfant triomphait. Elle entra dans la ronde. Tiffany entendit le pchupchupchu de leurs paroles. Elle était effondrée surtout à cause de ses cheveux dont il faudrait refaire la raie. Là-bas, les autres s'amusaient. Cathy avait mis un doigt dans les boucles blondes de Michou, elle les tirait un peu comme des ressorts. Elle narguait Tiffany avec d'autant plus de rage qu'elle avait partagé un sort que du haut de sa nouvelle promotion elle jugeait misérable. Tu l'attends encore, ton Émilie-Gabrielle ?

*

Émilie-Gabrielle, ce n'était pas seulement un superbe paraphe coulé en anglaises à la fin des lettres mais aussi un prénom plus modestement calligraphié, en pleins et déliés, à l'intérieur d'un livre rouge et or. Émilie-Gabrielle, prix d'excellence. Madame Désarmoise demeurait dans la Propriété mais Émilie-Gabrielle allait à l'école. En attendant la sortie où elle retrouverait Madame Désarmoise, Tiffany tentait d'apprivoiser Émilie-Gabrielle. Elle en savait peu de chose, juste ce que sa grand-mère avait voulu lui en dire : elle avait eu froid, mal aux pieds et surtout elle avait aimé son père.

En insistant beaucoup, Tiffany avait appris qu'elle s'était perdue lors d'une visite au zoo

128

devant la fosse aux ours et qu'elle détestait les navets. Un jour Émilie-Gabrielle, qui était si sage, s'était montrée capricieuse. Silence passionné de Tiffany. Elle avait refusé tout net de manger les délicieux navets bouillis qui accompagnaient le rôti. Stupéfaction de Tiffany. C'est bien, avait dit son père sans élever la voix, puisqu'il en est ainsi, tu mangeras cette bonne assiette de navets en classe. Émilie-Gabrielle était partie à l'école. Et alors? demandait Tiffany. Alors, en pleine leçon de choses, voilà que l'on frappe à la porte. La bonne entra portant dans une main l'assiette refroidie, dans l'autre une serviette. Alors? demandait Tiffany. Alors, rien, elle les avait mangés.

La fosse aux ours, les navets, de bonnes histoires pour les huit ou neuf ans mais quand on en avait douze, on ne pouvait pas y trouver un grand réconfort. Et quand Émilie-Gabrielle avait douze, treize et même quatorze ans? Vraiment, la vieille dame ne se souvenait plus. Elle avait perdu son père de la grippe espagnole, alors le reste lui semblait très accessoire. Elle avait beaucoup souffert. Mais sa souffrance était restée muette, elle en avait étouffé tous les cris. Douze, treize, quatorze ans, si peu de chose...

Dans la cour, Tiffany tournait en rond et parlait toute seule. Elle essayait de combler le trou. Elle imaginait une Émilie-Gabrielle de son âge, elle l'aurait consolée, l'autre l'aurait aidée à faire ses devoirs. Mais elle n'arrivait pas à la voir différente d'elle. Émilie-Gabrielle avait sa taille, ses yeux, son uniforme. Émilie-Gabrielle sommeillait dans un coin de la classe, les yeux fixés sur un objet pour s'obnubiler. Émilie-Gabrielle divaguait seule au milieu de la cour de récréation. Mais qu'est-ce que tu radotes ? lui demandait une pensionnaire. Je ne radote pas, répondait Tiffany, je chante. Et elle fredonnait tout haut un air destiné à recouvrir ses incongruités.

Au fond, comme toutes les autres filles, Émilie-Gabrielle lui échappait. Elle la laissait filer. Il lui restait Madame Désarmoise. La peau douce de Madame Désarmoise dont elle retrouvait le grain à l'intérieur de son poignet contre sa joue. Mais qu'est-ce que tu as ? J'ai mal. L'existence tout entière dans la mousse de la savonnette qu'elle frottait pour en avoir plus et qu'elle écrasait sur son visage pour être au cœur de cette douceur qui crevait dans l'arôme de Madame Désarmoise. Vous en mettez trop ! La pulpe de fruits, plus doux que d'autres, dont elle se caressait la bouche la lui rappelait. Les deux mains de part et d'autre du bol de lait, le front fiévreux. Dans le bol, le lait en refroidissant formait une peau fine, ses rides. Elle lui cachait le monde.

*

Sur le tableau de la classe, la Maîtresse des Cinquièmes avait tracé les contours des cinq continents. A l'intérieur, les élèves avaient collé des images découpées dans des journaux. Un Indien emplumé symbolisait l'Amérique du Sud, un Esquimau près de son igloo, le pôle Nord, une femme accroupie en train d'écraser le mil, l'Afrique, une danseuse balinaise, l'Asie. En dehors des tracés, sous la charogne d'un chameau ou d'un bœuf, on avait écrit : Ils ont faim.

Ce n'était qu'un début, le tableau tout entier fut livré à l'initiative missionnaire de la classe. On colla, on découpa. Il n'y eut pas de journal ou de photo qui ne leur parlât. Un homme près d'un puits permit d'écrire : Ils ont soif. Le tableau avait trouvé son équilibre. Une publicité d'une faucheuse-batteuse qui dévorait un champ de blé américain, autorisa : qui leur donnera la nourriture dont ils manquent ? Les torrents, les rivières, les oiseaux qui s'envolaient, oui, tout pouvait être récupéré. Lorsque le tableau fut entièrement recouvert, la maîtresse ajouta en haut, au centre, le mot DIEU. Ils ont soif de DIEU, faim de DIEU. Toutes les phrases étaient reliées au mot DIEU par un trait bleu intense, les lignes qui convergeaient faisaient une résille inextricable, mais les mots prenaient leur véritable sens. On demanda à Tiffany un exposé sur l'Afrique.

Oui, on voulait qu'elle témoignât, mais qu'elle ne dît rien de trop laid ou de trop choquant. On voulait des lépreux sans blessure, des affamés qui se rassasiaient, des sans-abris devant la case qu'ils venaient de bâtir. Un mal réparé, des pauvres récurés, et de l'espoir surtout, de l'espoir partout sans oublier la couleur. Tiffany leur décrivit les photos qu'elle avait sous les yeux, les larges fleuves sous le grand soleil blanc où les Rouges, les Noirs et les Jaunes pêchaient des poissons miraculeux. Ils étaient tous unis, pau-

vres-et-heureux, parce qu'ils connaissaient DIFU.
Quelle chute ! Bien, Marie-Françoise, vous voyez
quand vous voulez faire un effort !

Sous la photo d'un petit garçon en larmes,
elles pressaient des boules de papier argenté
pour les sapins des petits Chinois. Enfants, elles
ne se préoccupaient que des enfants. Femmes,
ces images parlaient à leur cœur de mère. Le
rétrécissement du monde était tel que Nicole
Cazenave, qui en avait encore rajeuni la popula-
tion souffrante, proposa que l'on tricotât des
brassières pour ces tout-petits. Le cours de
géographie vit fleurir des laines roses, des laines
bleues. Vous pourriez prendre quelques notes,
suppliait le Professeur qui tentait d'intéresser
ces demoiselles aux différentes méthodes de
l'extraction de la houille. Elles tendaient leurs
ouvrages microscopiques, elles ne pouvaient
pas. Elles travaillaient pour le tiers monde en
ciselant des trous-trous. Et tu vas le garnir avec
du satin ? On imaginait déjà ces petits riens
lorsqu'ils reposeraient sur le papier de soie !
Elles se sentaient actives, nécessaires.

On se doute comment la proposition de parrai-
ner des catéchumènes japonais fut adoptée. Toujours sur le tableau, Madame l'Économe avait
inscrit : une plaque de chocolat = 80 francs, un
baptême = 60 francs. Elles voulurent être mar-
raines. Pour plusieurs enfants, on faisait un prix.
Nicole Cazenave, encore elle, en eut six pour
cinq d'un coup, rien que des filles : Isabelle,
Marie-Odile, Anne-Laure, Béatrice, Geneviève et
l'autre... Bénédicte ! Cela mit une animation

extrême. On voulait savoir si elles avaient un garçon ou une fille et quels prénoms ? Classiques ou composés comme cela se faisait maintenant, Jean-Philippe, Anne-Claude ? Un garçon et une fille, le choix du roi ! Et puis on questionnait la Dame pour savoir ce que l'on pouvait faire pour ces filleuls du bout du monde. Envoyer des sucreries ou une carte de vœux ?

Tiffany voulait une petite fille. L'Économe lui consentit un prêt de soixante francs. Lorsque la Maîtresse lui demanda comment elle l'appellerait, elle dit très doucement Émilie-Gabrielle. La Dame qui avait mal entendu écrivit Marie-Gabrielle. Passer d'une Émilie-Gabrielle à l'autre, être soi-même Émilie-Gabrielle, prier pour une Émilie-Gabrielle japonaise, tout reposait au creux des mains, dans la prière.

*

La porte des vacances ne s'ouvrait plus seulement sur le bonheur ou la liberté, ces mots dont elle avait oublié le sens, mais sur le monde quotidien moins terrible que celui des cartes mais plus inquiétant, gris et confus. Pour aller à la gare routière, il fallait traverser la ville. La religieuse qui l'accompagnait, par sa seule présence, réglait la rue selon une ordonnance interne. Elle traçait une ligne droite, noire et silencieuse dans l'agitation et le bruit. Sans elle, sur les trottoirs étroits, qu'aurait fait Tiffany ? Comment aurait-elle pu appliquer à la lettre les consignes de la Pension ? Céder le passage, saluer, remercier. Merci. Merci beaucoup. Merci infiniment. Elle n'aurait pas pu avancer, on l'aurait piétinée.

En attendant le grand départ de six heures, les cars stationnaient, les uns à côté des autres. Tiffany cherchait celui qui portait le nom du village. Elle ne le voyait pas, s'affolait, mais la religieuse le lui désignait, là, devant. Une foule assez importante l'entourait. Des femmes, quelques hommes qui fumaient et des enfants, des pensionnaires qui portaient, marqués d'un nom ou d'un numéro, des sacs de toile. A l'intérieur du car vide, au-dessus de la foule, le chauffeur lisait un journal, insensible à toute cette attente qui l'enserrait.

La porte coulissait dans un bruit de piston. Dans la ruée, Tiffany, prise de panique, cherchait l'aide de la religieuse qui attendait sur le trottoir. Que faire maintenant ? Le souci d'être irréprochablement polie combattait l'envie irrésistible de fenêtre. Et lorsque en trichant un peu, elle avait atteint le but, elle se faisait toute petite, elle savait qu'elle n'était pas à l'abri de ce scandale qu'est un enfant assis devant une grande personne debout, tout encombrée de paquets. Il restait des places. La religieuse avait disparu. On partait.

Dans la rue, une femme courait en faisant de grands signes. Elle cognait à la porte, le chauffeur ouvrait encore. A côté de Tiffany, la femme poussait un corps lourd qui débordait. La masse obèse oppressait l'enfant qui reculait un peu vers la vitre où elle collait son front. Elle s'efforçait d'en respirer l'odeur froide et d'ignorer la chaleur qui montait de la femme, la fraîcheur la désinfectait. A la dérobée, elle examinait le gros corsage et les genoux mauves sous les bas gris, les mains épaisses et les larges ongles blancs, la broche qui perçait le col. La femme qui sentait le regard s'excusait d'être si grosse, de prendre trop de place. Il y aurait eu de la charité à répondre. Fermée, Tiffany ne trouvait même pas des mots de politesse.

Le car haletait. Un tournant difficile, un homme à vélo, pied à terre, attendait son passage. Le rond-point d'une place grise, le pont sur le gave. Des feux rouges. Et puis le château était derrière, très loin, au bout du boulevard. Le car filait sur la grande route droite entre les prairies et chaque platane sur ce chemin préfigurait les chênes de l'allée. Quitter la ville, c'était entrer dans la Propriété. La vitesse, l'ombre et le silence, les premières mesures du bonheur.

Le car s'arrêtait. La femme se levait. Tiffany lui souriait. Elle la voyait s'enfoncer dans les prés. Pas de chemin, la femme allait à travers champs en costume de ville, chargée de sacs, elle retournait d'instinct, dans la nuit qui tombait, vers une maison que l'on n'apercevait pas. Dans le car, un homme s'était endormi. Au fond, les pensionnaires s'agitaient. On allait bientôt arriver. Ferait-il encore assez jour pour qu'au tournant du chemin de fer Tiffany pût en scrutant les arbres du coteau voir apparaître la ligne plus haute et plus claire du toit de la Propriété ? La vitre était couverte de buée, elle en essuya un petit coin, l'espace de la tour.

III

Comme elle avait retrouvé la Propriété dans les lettres de sa grand-mère, Tiffany reconnaissait sa grand-mère dans la Propriété. Qui des mots ou des lieux menait le jeu de cette alliance subtile et ravissante dont les sens enchevêtrés éclataient en tant de fragments mobiles qu'il était impossible d'arrêter ce qui appartenait déjà à l'une et ce qui était encore à l'autre ? Au bout des doigts de Madame Désarmoise, il y avait des rameaux et dans sa bouche un silence de pierre mais les arbres respiraient la nuit et se « retenaient » le jour. Une grande inspiration de soleil, une longue expiration de nuit. Et de voir les arbres si hauts Tiffany imaginait qu'ils étaient comme de grands poumons qui prenaient au ciel une vie plus claire et plus pure, les poumons mêmes de sa grand-mère, une aide respiratoire, instruments merveilleux qui se substituaient au souffle court, à la gorge enrouée.

Les différentes allées qui sillonnaient la Propriété d'un mouvement concentrique, de bas en haut, n'étaient pas tracées au hasard de goûts esthétiques mais avaient l'impérieuse nécessité de la santé. Madame Désarmoise passait par ces chemins pour prendre de l'exercice. Tiffany la suivait, enlevant sur son passage une branche, une pomme. Elle se précipitait sur les barrières, heureuse de montrer sa force lorsqu'elle tirait du sol le pieu qui retenait les barbelés. Il n'était jusqu'à la clôture électrique qu'elle ne se fît fort de soulever — Moi, je ne sens rien —, la main fourmillante. Elle regardait la silhouette cassée qui progressait de plus en plus lentement. Elle était aux pommiers, elle irait jusqu'aux pruniers et tenterait peut-être d'atteindre les noisetiers. Fière de l'effort de la vieille dame et détruite jusqu'au fond du cœur par la nature même de cet effort, Tiffany retenait son souffle pour le lui prêter. Figée, au milieu de la prairie, les yeux mi-clos, elle l'accompagnait en la soutenant de tout son être contracté et lorsque Madame Désarmoise redescendait et que son allure montrait qu'elle peinait moins, Tiffany se relâchait, le soulagement lui sautait aux joues. Elle n'avait pas bougé, elle était tout essoufflée.

Respirer, avoir de l'appétit étaient des préceptes d'hygiène érigés en principes de vie, c'est-à-dire en règle morale. Il y avait aussi un art de manger qui faisait appel à d'autres vertus de la Propriété, la justifiant par l'intérieur, dans la terre, jusqu'aux racines. Là encore il n'était pas seulement question de nourriture mais de santé. Le frais, le naturel, le léger, le simple et le cru s'opposaient au gras, à l'épicé, au salé, au cuisiné, au mitonné.

Tiffany fut témoin et complice du terrorisme implacable et silencieux que le culte de la santé faisait peser sur le menu quotidien. Les productions de saison, laitages et légumes cuits à l'eau étaient imposés, au nom de la Propriété, sans qu'il fût permis d'en discuter. Madame Désarmoise en dégustant la jardinière estivale, mélange triste de carottes dures et de haricots verts filandreux, trouvait que la cuisson à la vapeur exaltait la nature des légumes.

Le Colonel Désarmoise, dont la complexion ni surtout la philosophie gustative n'exigeaient pareil régime, n'osait rechigner. Tout son être allait du côté des haricots en grain, longuement cuits dans la graisse d'oie, du côté du cochon en somme avec ses capiteuses salaisons, du côté couenne, du côté lard, bref, du gras. Quelle horreur ! tout cela était du poison, poison comme la barre de chocolat qu'il suçotait après les repas dans son bureau. Je vais vérifier les comptes. Le visage de Madame Désarmoise reflétait alors tant de dégoût et de tristesse que le Colonel se rétractait. Il niait toutes les qualités du cochon mais gardait le chocolat. Tiffany déclarait qu'elle détestait le chocolat, elle demandait avec douceur un peu plus de jardinière.

*

Mais d'où venait-il ce grand-père ? Tiffany se le demandait. L'activité du Colonel Désarmoise lâché dans la Propriété, construisant, élaguant, dirigeant, détournant les sources, tarissant les bassins, édifiant des murets, ne lui semblait pas sans danger. L'énergie quelquefois impressionnante qu'il développait, comme le dallage à la force des bras d'une terrasse entière, lause par lause, dans la même tenue que celle du manœuvre qui l'aidait, inquiétait Tiffany. Et s'il allait bouleverser l'harmonie des choses ? Anxieuse, elle interrogeait Madame Désarmoise, espérant une condamnation mais se rassurait si la vieille dame lui affirmait que ce serait beau ou de bon goût. Alors elle voulait qu'il fit vite, et dans l'ombre d'un bosquet elle surveillait l'avancement des travaux dont elle allait rendre compte à sa grand-mère.

Mais d'où venait-il ce grand-père ? A le voir tout débraillé, ruisselant de sueur, elle se prenait à douter. Était-ce le même homme qui pendant les bridges faisait roucouler les dames : Ah ! Colonel, Colonel ! Entre la grand-mère des bridges et celle de la Propriété, il n'y avait qu'un peu de maladie en plus qui défaisait les traits et faisait briller les yeux. Mais lui, il s'était abîmé. Ainsi, il n'était pas de la Propriété mais d'un ordre différent, celui du bas, de la terre, du village, de la région. Il s'enracinait dans un pays où la petite fille et sa grand-mère ne faisaient que passer, se réfugiant dans cet endroit clos, la Propriété, pour y vivre une vie qui n'était que la leur.

Qu'y avait-il de fondamentalement différent entre le fermier qui crevait la terre et le grand-père qui s'escrimait sur des massifs de roses ? Rien au fond, et n'était sa grand-mère dont la présence lui interdisait de penser si mal, Tiffany les aurait confondus. D'ailleurs à le voir appuyé sur sa bêche échangeant par-dessus la haie ses impressions météorologiques avec les passants, on aurait dit un paysan. En s'approchant, Tiffany entendait qu'il s'exprimait couramment dans une langue étrangère dont les accents plats, bien que modulés, ressemblaient beaucoup à l'accent qu'on s'efforçait d'éteindre dans sa bouche. Il parlait patois ! Madame Désarmoise la tranquillisa. Non, il parlait béarnais.

Il était du Béarn, elles étaient de la Propriété. Il était de chez lui, elles étaient d'ailleurs, échouées là, poussées par la maladie. Elles se soignaient ici, elles étaient de passage... Et si elles avouaient qu'elles y étaient bien, ce devait être à cause de la Propriété, parce que pour le reste... Elles étaient deux, il était seul. Elles l'élimineraient. Tiffany poussait Madame Désarmoise à déserter le lit conjugal, elle offrait sa chambre. Ce n'était pas sain. Elle offrait son cœur. Elle disait : C'est moi que tu préfères.

Contre cette sourde mutinerie, le Colonel Désarmoise n'avait qu'une réaction agacée. Il laissait piquer la mouche. Il était de là. A une dizaine de kilomètres, il pouvait battre le rappel de sœurs, de cousines, de cette espèce sombre, hemne et daoune, au chignon tiré, exprimant leur tristesse en phrases chantantes. Il avait tout près, dans un cul de cheminée, noires sur noir, des mémés doublement refermées, le nez sur le menton, le front sur les genoux. Il avait dans la bouche le goût de la chingare. De la quoi ? De la CHINGARE, du LARD MAIGRE ! et des crémottes et du pain perdu dont on le privait ici ! Ah ! il pouvait appeler ce parent rebouteux, spécialiste du zona : Mal tiret d'aqui. Il le leur dirait sur fond de pendule, sandales aux pieds, béret sur la tête. La Propriété serait béarnaise ou elle ne serait pas. Il voulait sur la terrasse LE palmier. On transigea, le palmier fut planté, mais à l'écart.

*

Le Colonel Désarmoise désirait moins un retour aux sources qu'un retour à la nature et s'il fallait pour atteindre l'une passer par l'autre, eh bien, on n'en aurait pas honte. Madame Désarmoise trouvait la région belle et une certaine finesse à ses habitants, mais réprouvait leur laisser-aller physique et mental. En fait, tout en s'opposant, ils se comprenaient sur le fond, la Propriété ! Le Colonel accentuait ses mines paysannes, Madame Désarmoise de moins en moins matérielle, tout en élan, ne goûtait que la grâce et la beauté.

Le Colonel avait décidé que la Propriété rapporterait. Il s'était attaqué en même temps à l'élevage, à la culture du blé, aux arbres fruitiers. Le cheptel soigneusement sélectionné dans les fermes avoisinantes se forma en majorité de bêtes hautes sur pattes, avec de longs cous, des salières près de la queue et peu de mamelle. Elles n'avaient de laitier qu'un pelage tacheté normand. On en attendait beaucoup. Il y avait aussi de grandes rouquines excitées qui s'emballaient pour un grésillement de taon, elles étaient destinées à l'attelage.

Stupéfaites, Tiffany et sa grand-mère se demandaient par quel miracle ces bêtes redoutables se transformeraient peu à peu en vaches obèses et paisibles, le nez à fleur de prairie, la démarche entravée par d'énormes pis roses. Qu'est-ce qui changerait en lent et pesant attelage les biques rouges qui dansaient des sabbats sur leurs sabots arrière ?

Le Colonel les rassurait, il s'y connaissait... Bien sûr, le temps ne fit rien à l'affaire. Les vaches restèrent ce qu'elles étaient. Des bréhaignes, des sèches, des improductives, des indomptables, et si parfois un veau leur venait, c'était à la façon des diablotins qui jaillissent d'une boîte. Monsieur Désarmoise se détourna donc de l'élevage, se contentant de consigner les quotas laitiers que le fermier lui transmettait chaque mois. Les carnes, disait-il. Des putes, répondait le fermier. Ils s'étaient compris.

C'est qu'il s'y connaît, le Colonel, constatait le fermier qui ne faisait pas un geste. Monsieur Désarmoise s'était tourné vers la culture. Le blé ne prit que par endroits, laissant de grandes plaques chauves et honteuses. Les jeunes arbres ne donnèrent ni fruits, ni feuilles. Il les crut morts et les déracina d'un geste rageur. Il avait forcé jusqu'au tour de reins, il lui restait dans les

143

mains une baguette pourvue d'importantes racines. Il regretta, replanta et eut la tristesse de voir mourir les vigoureux et jeunes sujets. Il désira une vigne, imaginant peut-être son nom sur une étiquette. Château de. Un excès de sulfatage empoisonna la vigne, rendant la Propriété irréelle et bleue sur quelques arpents.

C'est qu'il s'y connaît, le Colonel... Il fit avec ce qui existait. Entre pouce et Opinel il composait des boutures. Il incisait, pansait et on attendait. Quelquefois elles prenaient, cela n'allait pas jusqu'au fruit mais il y avait eu des fleurs. De toute façon, les groseilles ne mûrissaient pas sur les poiriers ni les pêches sur les pommiers comme l'espérait Tiffany et la gloire que tirait son grand-père d'un rameau anonyme qui avait mis deux ans à pousser lui semblait dérisoire.

Il ne devait plus être question maintenant que de ramasser ce que la Propriété produisait bien avant eux et comme par tradition, les quetsches, les noisettes et les pommes. Le Colonel se lança dans le commerce. Il envoyait la fermière vendre à la ville voisine un ou deux paniers de ces fruits naturels. En rechignant, accroupie sur un cageot, elle les proposait à un prix défiant toute concurrence car Monsieur Désarmoise avait surestimé la qualité de ses produits et inclus dans chaque kilo le prix du car, aller et retour. La médiocrité des fruits, en pleine période de production, faisait qu'on n'en demandait même pas le prix et que la fermière en était pour ses frais ou plutôt pour les frais du Colonel qui avait financé l'opération.

144

Il fallait faire quelque chose des pommes, elles croulaient sur les branches, elles étouffaient les arbres et empoisonnaient les vaches qui, en allongeant le cou, en mangeaient de pleines ventrées. Le Colonel Désarmoise fit venir de Manufrance un pressoir et confectionna du cidre. Il en résulta un liquide jaunâtre d'un vilain aspect dans lequel flottaient des dépôts barbus. Les fermiers préféraient le vin, Madame Désarmoise l'eau de source. Le cidre tourna au vinaigre.

*

La chasse consacrait les retrouvailles du Colonel avec la nature. Cela commençait comme une promenade en compagnie du chien de la ferme que Tiffany tenait, fou de joie, au bout d'une corde. Ils prenaient le chemin ordinaire, la source, les cèdres, les pommiers, les pruniers, les noisetiers... L'expédition commençait. Tiffany lâchait le chien qui filait d'un trait dans les taillis. Ils sortaient du sentier boueux et traversaient des champs de thuyas, de litière à vache et de fougères en crosse. Ils n'étaient plus dans la Propriété mais dans une zone hostile et aride qui appartenait à d'autres. Le champ Cassou, le plateau Alliou. Ils étaient en parfaite infraction, menacés par le coup de fusil de cet autre propriétaire qui n'hésiterait pas, les prenant pour du gibier, à protéger ses lapins de garenne. Ils allaient doucement, ils progressaient prudemment. Le cœur de Tiffany battait dans ces absurdes chasses où ils s'offraient comme cible.

Ce n'était qu'une péripétie. Par les hasards du cadastre ils reprenaient pied dans un petit chemin qui leur appartenait. Ils redressaient alors les épaules, et dans la légalité, ils observaient à l'entour, non pas le gibier mais les chasseurs qui peut-être allaient franchir les limites de leur terre. Derrière un arbre, le Colonel guettait, regrettant de n'avoir à sa disposition que du dix trop destructeur. Avec du sel, il serait passé aux actes. En tout cas, ils l'avaient échappé belle. Cette ombre verte dans le champ qu'ils venaient de traverser, n'était-ce pas Cassou en personne ?

La marche reprenait dans les ronces. Froissement d'aile, souffle sauvage. Tiffany restait en arrière. Le chien avait disparu, il ne rentrerait que le soir, fourbu, bon pour la raclée qu'il subirait désespéré et coupable jusqu'à offrir son ventre aux coups. Au sommet du coteau, la nature s'apaisait, les fougères remplaçaient les ronces, le silence l'éboulement des pierres. Très haut dans les pins, au bout d'immenses échelles grêles, dans la croix des branches, en feuillage, en bois et en branchages, de minuscules maisons d'enfant, les palombières.

Son âge et une raideur dans la jambe empêchaient le Colonel de risquer sa vie à trente mètres au-dessus du sol sur des échelles qui s'amenuisaient vers le haut comme des échelles de soie. Il maudissait son âge, haïssait sa jambe, se détestait même à ce moment-là, se traitant de pauvre type. Et puis sa fureur se retournait sur celui à qui il prêtait sa palombière. Sur l'herbe foulée, il ramassait des cartouches, il supputait que la chasse avait tourné au massacre. Il prêtait ses palombières mais se refusait à l'idée que l'on y tuât des palombes. Ce n'était pas tant les oiseaux qu'il regrettait que son gibier.

Ils redescendaient vers la maison épuisés et mécontents. Rien n'allait, ni les palombières, ni le chien. Ils n'avaient rien vu, pas une plume, pas un poil. C'était à croire que les terres mitoyennes aspiraient tout ce que la Propriété produisait. Même dans leurs champs, c'était ses lapins que les autres tiraient. La preuve ? Les terriers qu'il désignait à Tiffany. Il refusait de croire que les lapins étaient encore au fond des trous, il les voyait gonfler les carniers des autres.

Le gibier, ils le trouvaient artistiquement disposé sur la table de la cuisine. Le coiffeur, que le fermier avait certainement prévenu de la chasse du Colonel, était venu en son absence et pour calmer un juste courroux (qui eût pu lui faire interdire des palombières si bien placées), agitait deux ou trois oiseaux ardoisés. Vous n'allez pas me dire qu'il n'a tué que ça, bougonnait le Colonel, les poches remplies par les cartouches du coiffeur. Il avait été floué, le marché regorgeait le lendemain de toutes ses palombes.

Il plumait son lot le fusil sur l'épaule. Pour Tiffany, on ajoutait un bifteck. Le Colonel et Madame Désarmoise mangeaient les palombes. Trop sec, trop dur ou trop gras, Tiffany ne les entendit jamais en vanter la chair. Des erreurs de cuisson, reprochait le Colonel. Des bêtes vicieuses, tranchait Madame Désarmoise. Elles ne valaient pas tout le mal qu'elle s'était donné... Elle désapprouvait la chasse, ce n'était plus une occupation de son âge, elle insistait, de son âge, à lui. Elle lui rappelait la mort.

*

Tiffany fut traversée d'une douleur aiguë. D'un seul coup, elle le vit, lui, mort, c'est-à-dire absent... pour toujours, elle la vit, elle, mourante, c'est-à-dire allongée comme à cet instant. D'ailleurs avec ses yeux clos, son visage pâle et ses mains défaites le long du corps que dissimulait une couverture, n'était-elle pas mourante ? Lui faire ouvrir les yeux, la faire parler !

Tiffany voulait être convaincue sur-le-champ que l'éternité était aussi entre eux, entre elle et eux à l'image des arbres qui ployaient à la brise de ce jour d'été, à la ressemblance du silence de la pierre sous le soleil. Madame Désarmoise la consola, ils ne mourraient pas avant... dix, douze, quinze ans ! Quinze ans, cela l'apaisa, ils vivraient toute sa vie, autant dire l'éternité. Que de fois quand l'angoisse reviendrait ressasserait-elle l'adolescence donnée en limite à l'été. Ce serait toujours l'éternité, même si au cours des saisons, imperceptiblement les années prenaient du poids. Elles n'étaient plus qu'une portion d'un tout, elles avaient la transparence fragile d'une feuille nervurée dans le premier pâlissement de l'automne et non dans le velouté de sa naissance claire. Elles ne faisaient que renforcer sa certitude. Elle n'était plus petite, elle était jeune et immortelle.

Ce ne serait pour jamais mais elle y pensait quotidiennement. Elle imaginait une tombe, un berceau où elle reposerait enfin dans les bras qui excluraient l'insupportable solitude. Elle y tiendrait tout entière, enlacement magique, pouvoir du sommeil, caresses douces dans l'odeur profonde des aiguilles de pins. Lui, serait à côté. On dormirait ensemble, à l'angle de la pelouse, dans l'encorbellement des grandes racines du chêne d'Amérique, le dos à la barrière, la face vers la maison, la leur. Ils fleuriraient à dix mètres de là, dans une branche superbe bleue et givrée.

On mourra ensemble, je veux être enterrée avec toi, et si tu meurs avant, je me tue. Madame Désarmoise avait été longue à en accepter le principe et puis lasse, elle avait dit qu'on verrait. Il ne suffisait plus que de mourir. Est-ce que ça faisait mal ? Madame Désarmoise, qui mourait chaque jour, lui disait que non, on passait, comme cela, d'un geste de la main qui ne demandait aucun effort. Passer. Et après ? Après, on devenait poussière, cendre, nuage, ciel, rien, du bleu.

Ah ! elle était simple la mort qu'elles évoquaient deux fois par jour sur leur prie-Dieu. La mort, c'était la vie, un soupir et un nom de plus à la litanie des noms propres que Tiffany n'avait pas connus mais dont elle aimait le chant du rassemblement familier, des noms sans visage qui tenaient à des notes et à des modes. Insensiblement, Tiffany priait pour ceux qui n'avaient pas existé. Les morts avaient l'avantage, les années passant, de calquer leurs personnalités sur leurs saints patrons. Ce n'était plus une arrière-grand-mère qu'on évoquait mais Sainte Marie ou Jeanne d'Arc. Il en résultait d'étonnantes hiérarchies, son prénom d'archange valant plus au compte de la prière que celui de n'importe quel saint supérieur. Il n'était jusqu'au Colonel Désarmoise qui n'apportât par son prénom papal sa part d'éclat à la prière du soir. Tiffany sentait que par l'intercession de ce grand-père majestueux, ils seraient en bonne place de considération divine.

*

Domaine réservé de la prière, jour d'été finissant en pleine clarté, mouvements affolés qui viennent de l'étable. Cora ? Bruits des seaux que l'on heurte, cris du fermier qui apaise. Oh là ! Oh là ! Odeurs... La figure dans la conque de ses mains, dans l'obscurité de ses doigts sur le reposoir du prie-Dieu, Tiffany attendait les baisers du coucher où elle aussi par un ordre différent, celui de l'amour, avait gravi les échelons de la divinité. Longtemps angelot, elle était devenue par la grâce de l'adolescence son bel ange brun. Ses ailes s'étalaient, de chaque côté de la maison, elles la couvraient d'ombre, d'espoir, de douceur.

La foi qui lui cachait la mort en la lui rendant acceptable était faite d'images mièvres et de comptines suaves où des anges en sol mineur, les

150

larmes aux yeux, ne finissaient pas de déposer à ses pieds leurs trésors étonnants : ostensoirs, couronnes de fleurs, robes comme en porte la Vierge Marie. Tiffany espérait leur venue comme celle du père Noël, et douta de leur réalité après avoir arraché à sa grand-mère que le bon vieillard n'existait pas. L'ange de la crèche, la tête emportée dans le hoquet provoqué par la chute d'une large pièce de cinq francs, était resté très longtemps comme un remords, car elle n'y pensait, c'est évident, que pour mal faire, et ne l'évoquait jamais que révulsé, peiné, hoquetant jusqu'au fond de l'âme.

L'ange de Cucugnan lui donnait en revanche le soutien de sa virilité. Il était affairé parmi ses registres, il avait tant à compter avec les âmes du purgatoire. Et tout le péché qui l'entourait n'avait fait que lui assombrir les ailes. Il demeurait beau en dépit de tout. Ne disait-on pas un bel ange à la robe étincelante ? Ses ailes étaient noires, il n'en était que plus beau, plus que tous les emplumés de rose et de bleu. Il était comme un cygne noir, comme Tiffany. Elle rêvait pour son âme de ces ailes noires.

Il n'y avait qu'un pas entre cet ange du milieu, irrité et divin, sombre mais blanc et l'ange violent de la mort éternelle. D'aile noire en aile noire, Tiffany arrivait à Lucifer, l'ange de la lumière et de la nuit. Le plus beau des anges que Dieu eût créés, avait dit Madame Désarmoise avec un soupir de regret, désolée qu'un être si remarquable et si distingué n'appartînt pas à la glorieuse cohorte. Aimer l'ange de Cucugnan, n'était-ce pas déjà aimer Lucifer ? L'humilité qui lui faisait choisir les ailes assombries par le péché ne ressemblait-elle pas à l'orgueil démesuré de l'ange déchu ? Flattée d'être un ange brun, Tiffany craignait d'être un ange noir. Elle revenait avec tendresse aux anges gardiens avec leurs ailes couleur de meringue.

Les anges dans nos campagnes ont entonné l'hymne des cieux et l'écho de nos montagnes redit ce chant mélodieux. *Gloria, Gloria...* Les premières bannières avaient passé le pont, et Tiffany apercevait, derrière les hommes noirs qui portaient le corps nu aux bras étirés, Monsieur le Curé, les enfants de chœur et les petites filles couronnées de fleurs. De reposoir en reposoir, la procession ondoyait lentement vers la Propriété. Tiffany regardait venir à la croix plantée sur le tertre d'herbe folle le Christ grandeur nature pleurant ses larmes de rouille. Christ roi, très sacré cœur de Jésus. Le marteau résonnait au milieu des cantiques. Adorable Seigneur, on l'avait crucifié.

*

Pour Tiffany, le cœur de la Propriété battait à l'endroit où se trouvait Madame Désarmoise. A l'intérieur, dans sa chambre, au bureau, au salon où elle la suivait comme aimantée. Dehors, près du lit de repos où elle l'attendait, sur la terrasse plein sud, dès les premiers beaux jours, au fond du parc, à l'ombre pendant les grosses chaleurs. L'immense chêne d'Amérique dont les branches

152

les plus basses frôlaient les fenêtres de la salle à manger et les plus hautes le sommet de la tour, tandis que le reste du feuillage trop lourd s'étendait sur tout le parc, représentait le point de conjonction exact entre Madame Désarmoise et la Propriété. Le lieu géométrique de sa passion. Le seul que Tiffany pût trouver et reconnaître. Où qu'elle fût, Madame Désarmoise était toujours sous le chêne.

Près de sa grand-mère, il ne suffisait pas d'être sage, il fallait s'occuper, avoir tout au moins quelque chose entre les mains qui justifiât son immobilité et sa présence. Tiffany tenait un pinceau mais passait le plus clair de son temps à composer le bouquet qu'elle ne peignait jamais. Il fallait qu'il fût cueilli dans le champ du lit ou, suprême raffinement, sous le lit car elle s'interdisait de tendre le bras plus loin pour saisir une minuscule fleur de mouron ou la corne jaune d'un coucou. Le chef-d'œuvre accompli, elle ne savait qu'en parer sa grand-mère, qui au fil des heures se transformait en autel, des bouquets miniatures à chacune de ses boutonnières, chemisier, veste compris.

Mais le tricot qu'elle avait découvert dans la confection de brassières pour les pays enfants lui donna un alibi encore plus solide que les bouquets. Elle voulut tricoter une robe pour Madame Désarmoise. Sa grand-mère lui confia sans mot dire quarante pelotes de laine marron et des aiguilles numéro trois. Tiffany se mit à l'ouvrage. Vacances après vacances, elle restait pliée sur la grande pièce, ne levant les yeux que pour mesurer ce qu'il lui restait à faire. Le tricot sur sa hauteur laissait voir comme des rayures, les différents stades de la maîtrise des doigts avec quelques trous d'émotion et des mailles sautées de tendresse. Tiffany ne finirait jamais.

De bouquets en tricot, comme elles étaient longues, les cures de Madame Désarmoise. Les yeux clos de sa grand-mère effaçaient le monde et détruisaient l'image que Tiffany pouvait avoir d'elle-même, car elle ne s'aimait que dans ces yeux-là. Alors plutôt que de la voir absente, comme morte, ce qui lui donnait envie de crier, Tiffany partait. Elle allait au hasard, son cri dans la bouche. Devant le poulailler, en entendant son pas, les poules accouraient de leur démarche grotesque comme si elles soulevaient le jupon de leur duvet. Devant Tiffany, à respectueuse distance, elles s'arrêtaient, attendant un geste qui n'avait d'intérêt que plein de grain. Elles attendaient encore un peu, et puis, les unes après les autres, elles repartaient avec un crouc vexé.

Alors Tiffany jetait son cri, elle le modulait pour qu'il ne fût pas trop sauvage, comme un chant. Elle ne disait rien, elle hurlait. Les poules brusquement recueillies levaient la tête, la penchaient, d'un côté, de l'autre. Tiffany en chantant s'apaisait, les poules lui semblaient drôles, elle imaginait être une cantatrice devant son public. Elle leur parlait. Mais les poules n'étaient vraiment sensibles qu'à ce cri très haut, venu des profondeurs. Tiffany, pour les retenir, s'égosillait.

Le cochon se précipitait dès qu'il la voyait tourner autour de son enclos. Il levait vers elle son groin interrogateur percé de trous ridicules. Elle lui glissait à travers le grillage un résidu de paille, de l'herbe, ce qui poussait là. Le cochon grognait d'insatisfaction. Dans l'étable, la tête tournée vers la porte, la grande Cora l'attendait. Tiffany se faufilait entre les grosses vaches pour arriver près de son amie. Elle lui prenait la tête dans les bras, lui frottait le front, la joue, lui essuyait les yeux. La vache tendait le cou pour ressentir plus profondément la caresse. Mais la fermière, que tous ces bruits dérangeaient, lui demandait de partir. Ce n'était pas sa place ici. Elle était d'en haut. Elle dérangeait les bêtes, elle les empêchait de manger, de PROFITER.

*

Dans la maison vide, les volets clos maintenaient une humidité lourde qui pouvait passer pour de la fraîcheur. La chaleur venait de plus haut, des chambres aux plafonds brûlants, du grenier torride qui soufflait de grandes bouffées de chaleur dans la cage d'escalier. En montant, Tiffany allait en enfer. Elle s'arrêtait d'abord dans le cagibi des livres, des sélections du mois, des offres exceptionnelles adressées à ses grands-parents, qu'il était interdit de toucher pour ne point les flétrir. Elle les lisait, enfin, elle tentait de les lire, car pour la plupart, ils n'étaient pas découpés. Elle lisait une page sur trois et par moitié, en les soulevant par le bas, les pages qui

155

étaient fixées par le haut. Les chapitres, complètement obturés, n'étaient accessibles d'aucune façon. Elle imaginait, faisait des suppositions, et montait au grenier.

La porte était ouverte, elle entrait. Au milieu de l'amoncellement des meubles, des malles et des valises, elle découvrait ces inquiétantes boîtes de fer appelées CANTINES. Sur le couvercle, elle déchiffrait Médecin Capitaine Murano. Médecin Commandant Murano. Son père était Commandant. Le Colonel Désarmoise en avait accueilli la promotion en connaisseur. MÉDECIN-commandant, Murano ne faisait pas la guerre, tout juste la guérilla. Enfin il pacifiait, comme un gendarme fait la circulation. Il était une sorte de sous-militaire, interdit de bataille, privé de feu, un MÉDECIN. Et là, le Colonel avait beaucoup à dire car la seule blessure qui lui restât de ses guerres, la seule qui ne se fût pas refermée, il la devait à un médecin militaire : Encore un petit effort et tu pourras braver une seconde fois la mort ! Vingt ans après, il en boitait encore.

Madame Désarmoise avait atténué ce que ce jugement pouvait avoir de définitif et de hâtif. Ils n'étaient pas tous pareils. Ils avaient fait des progrès. En tout cas, le père de Tiffany était, aux dires de leur fille Matilde, un médecin ÉPATANT. Le Colonel le lui accordait mais il ne pouvait s'empêcher de regretter que les champs de ses exploits, les colonies — cacao et café, houri et danse du ventre, fantasia et chevaux blancs — ne fussent guère compatibles avec la dignité de ses galons. Il fallait opposer à ces peuples le haut mépris de la puissance. Ils ne voulaient plus de la France ? On partait. Bon vent ! Le prétendu dévouement de son gendre lui semblait lâche et humiliant. Les drapeaux y perdaient leurs couleurs...

Tiffany les voyait au milieu du grenier avec leur hampe dorée, en gerbes, en faisceaux. Non, ceux-ci étaient trop petits, des oriflammes achetées par douzaines pour le 14 Juillet, qui n'avaient coûté la vie de personne, des drapeaux pacifiques et vaniteux. Seul le Colonel Désarmoise en avait rapporté des vrais, des grands, des glorieux. Le Médecin Commandant Murano, lui, collectionnait les souvenirs. Les carapaces de tortue, les coraux putréfiés et les poissons-chats gonflés en baudruche qui étaient arrivés de Polynésie dans des paniers de feuilles de coco. Les coffres de santal d'Extrême-Orient, les tapis d'Afrique du Nord qu'on avait étendus pour qu'ils perdent leur odeur de chèvre, les peaux raides des panthères d'Afrique percées de coups de lance. Le Médecin Commandant Murano était dans toutes ces dépouilles, dans le combat empaillé d'un serpent et d'une mangouste.

Et elle, Tiffany, dans le grenier n'était-elle pas un résidu parmi les autres, un de ces objets bon marché, vite acheté, vite oublié, entreposé dans l'attente d'un retour. Car, s'ils ne s'étaient pas débarrassés de ces déchets, rognures des pays exotiques, c'est qu'ils leur attribuaient de la valeur. Celle du souvenir ? Ses parents les reprendraient plus tard. Quand ? Tiffany avait reçu pour Noël une chéchia remplie de dattes vertes. Déjà la Méditerranée, ils se rapprochaient. Dans la fournaise, Tiffany frissonnait. Être oubliée, elle aussi. Être mise au rebut.

Debout au milieu des cantines, très haut sur son trépied de bois, un mannequin de toile aux formes de Madame Désarmoise. Tiffany enlaçait la poitrine absurdement rebondie, gonflée vers des mensurations idéales, les hanches plates. Sur le ventre, une déchirure laissait échapper une touffe de crin jaune. Cet objet impudique devenait l'objet de ses caresses. Elle le faisait basculer contre elle. Toi et moi. Rien que toi et moi.

IV

Le car longeait la rivière. Il allait dans un brouillard floconneux qui étouffait la clarté du ciel. Sur les bas-côtés, l'herbe et les graminées saturées d'humidité ployaient sous le poids de la rosée. Dans ces instants indécis et liquides, Tiffany ressassait son chagrin. A chaque arrêt, la porte laissait passer un homme, une femme qui avançaient en crabe, le bras serré sur un cabas, l'air inquiet comme s'ils avaient peur de ne pas trouver de place. Sitôt installés, ils prenaient leurs aises et regardaient à leur tour monter les autres.

En arrivant dans la ville, le car progressait parmi quelques cyclistes, qui se multipliaient près du centre. Il débouchait sur la place dans un encombrement. Le chauffeur montait sur le toit et détachait les vélos et les paniers ficelés des paysannes qui allaient au marché. Tiffany n'avait que sa petite valise. Elle était entraînée par le courant des voyageurs, qui se dirigeaient aussi vers le quartier des Sanguinaires. Femmes grises, femmes noires comme la nuit sous le jour qui s'éclaircissait, rendant les façades des maisons coupantes et la rue blême comme une estafilade. Les hommes filaient sur le trottoir opposé, ils allaient d'un pas plus décidé, une fumée blanche aux lèvres. Ils se dirigeaient tous vers le même point.

Peu à peu la lumière s'élargissait, la vague rumeur du brouillard laissait place aux cris du jour et la rue elle-même s'animait, les gens parlaient et ceux qui allaient quelques instants plus tôt en s'ignorant, se reconnaissaient, s'interpellaient, traversaient, s'attendaient au milieu de la rue et faisaient route ensemble dans un désordre bruyant. Le soleil brillait sur la place du foirail. Ce n'étaient que cris, hurlements, meuglements et bêlements. Les vaches étaient blondes et les moutons cendrés avec sur les reins une brûlure rouge. Les hommes s'affairaient autour des animaux, les femmes avaient disparu. Tiffany vit qu'elles étaient restées en marge, accroupies ou assises sur des caisses, elles déployaient devant elles des œufs très blancs, du fromage. A leurs pieds, dans un cageot, un lapin aux oreilles couchées.

Tiffany avait dépassé le portail des Sanguinaires, longé la rue, pénétré dans le cercle noir des femmes, elle entrait au centre de la lumière dans le monde des hommes et des grandes bêtes. Les vaches, présentées tête-bêche comme une natte épaisse, tenaient toute la largeur de la place. Les moutons parqués, tête basse. Des pottocks petits et courts à la crinière sauvage et au pelage hirsute. Entre des barreaux, un verrat monstrueux. Des hommes discutaient autour d'un bœuf coiffé d'une peau de mouton, une bête mythologique.

Les hommes s'animaient. Ils ouvraient les bouches des vaches et même celle d'un cheval qui révulsa son bel œil sombre. Ils enfonçaient leurs doigts dans les croupes, soulevaient les queues et tâtaient les mamelles avec une telle indiscrétion que Tiffany attendait que la vache fît un écart. Seule une brebis se refusa et sa reculade enfiévra le troupeau. Les veaux furent séparés de leur mère et entraînés vers les carrioles. Un géant en saisit un à lui tout seul et le déplaça en le tordant de la tête à la queue. Le verrat fut hissé dans un camion.

A la frange du bruit, les femmes n'avaient pas bougé. Les cageots étaient vides. Une paysanne interpella Tiffany, elle lui ferait un bon prix pour les derniers œufs. Elle s'éveilla, il devait être tard, plus tard que ne l'autorisait la lettre qu'elle remettrait à la sœur tourière : Veuillez excuser le retard de Marie-Françoise qui a été dans l'obligation de prendre le car... Elle aurait voulu rester là-bas, près des vaches sans veau, des moutons humiliés et aussi du cheval trop court dont on avait compté les dents. Il lui fallait rentrer. Devant la porte, elle ne se résolvait pas à sonner.

*

Elles avaient grandi. Tiffany qui avait été en avance se trouva en retard. Ses treize ans graciles ne faisaient pas le poids devant les quinze et les seize ans des jeunes filles mûries par les vacances d'été, bronzées par le soleil, endurcies par la mer et le bateau. Forcées, poussées, encouragées par les familles, elles avaient sauté les obstacles, fêté chaque bougie d'anniversaire comme une victoire. A un stylo-plume-en-or, à une montre-en-or, elles ajoutaient triomphalement leur premier amour et leur premier chagrin. Un an encore et elles seraient faites à point.

Elles avaient gonflé, Tiffany en eut la révélation à la visite médicale : N'enlevez que vos chemises, gardez vos dessous. Devant l'homme vêtu de gris, elle était la plus nue, la plus claire, la plus lisse, la plus tendre, au milieu des coques de satin rose, des coquilles de Chantilly, des bonnets embouillonnés, des nids de ruchés, des niches de dentelle. Indécente soudain pour ces indécentes. Nue, seulement nue, quand le coton de la chemise fut retroussé. Ce n'est pas grave, dit le médecin. Il répéta, ce n'est pas grave. L'infirmière la recouvrit d'un drap.

Elles avaient grossi, la mode les gonflait. Les cheveux crêpés, les seins qui pigeonnaient, les tailles étranglées, les jupons qui froufroutaient exagéraient les rondeurs que l'uniforme ne recouvrait plus. Tiffany contemplait le spectacle avec désolation mais sans envie, elles brillaient et ne la reflétaient plus. C'est du bas que lui venaient ses modèles, des petites qui tous les ans, l'une poussant l'autre, s'agglutinaient à la Dizaine des Alouettes. A chaque rentrée, on choisissait sa ou ses petites. Celle-là, Madame

s'il vous plaît, elle est si jolie! Elles la protége-
raient, la coifferaient, essuieraient ses larmes.
Parfois, il en venait qu'elles n'avaient pas désiré.
Alors Madame de Sainte Chantal désignait la
maman en second, l'initiatrice. Elle boudait et
s'éloignait en tenant l'enfant par l'épaule.

Tiffany en avait conduit au dortoir et à l'infirmerie. Elle leur avait montré où entreposer le
linge sale, où accrocher leurs gants, où poser
leurs mouchoirs et puis à voix basse elle avait
expliqué les mystères de la grande et de la petite
toilette. Ouf! Elle leur avait répété le slogan des
Alouettes, le chant de printemps et le chant
d'hiver où l'on introduisait un ou-houhou
enneigé en fermant les yeux pour plus de douceur. Elle vérifiait la fermeture du col, les plis de
la jupe. N'avait-elle rien omis? Non, elle avait
tout dit. Le reste, Dieu, la prière, serait l'affaire
de Madame de Sainte Chantal.

Tiffany observait la nouvelle. Une petite
Sixième têtue qui voulait savoir où cacher ses
provisions, ses bonbons, son gâteau, son beurre.
Une jeune Cinquième qui avait pris ses habitudes ailleurs et ponctuait tout ce qui lui était
montré par : Chez les Dames de Saint-Maur, on
ne faisait pas comme ça, allant jusqu'à dénoncer
la position du gant de toilette. Pourquoi à
droite? Chez les Dames de Saint-Maur, on le
mettait à gauche! Tiffany sentait peser sur elle
une critique implicite. Savait-elle bien ce qu'elle
disait? Elle essayait de parler : N'avait-elle pas
trop de peine d'être ici? La petite la regardait,
inquiète soudain. Trop de peine? On sortait le

jeudi ? Oui, on sortait le jeudi. Et le dimanche ?
Et aux vacances ? Oui, oui. Alors pourquoi voulait-elle qu'elle ait de la peine ?

Si les grandes choisissaient les petites, les
petites choisissaient aussi les grandes. Elles
préféraient les plus grandes parmi les grandes,
les grosses, les certaines. Celles qui n'hésitaient
jamais sur la conduite à tenir. Celles qui disaient
il faut, on doit, c'est défendu. Celles qui vivaient
avec plus d'intensité, celles qui chantaient plus
juste. Celles qui inventaient des slogans nou-
veaux pour mener avec vigueur les compétitions
avec les autres Dizaines. Nous sommes les plus
fortes, nous serons les meilleures. Un ban pour
Madame de Sainte Chantal. Un, deux, trois,
youpi. Tiffany, qui se trompait encore dans les
couloirs en cherchant des chemins plus courts
qui s'avéraient chaque fois plus longs — mais où
on est ? —, déconcertait. Les petites la quittaient
et parce qu'elles la quittaient, elles l'aimaient
moins que les autres.

*

Tiffany reprenait pied au milieu de toutes les
choses grises que son corps avait retenues. Là-
bas, dans la Propriété, un jour neuf. Ici, étude-
récréation-prière, rien n'avait changé. La classe
était à gauche, celle de l'année passée à droite.
En riant, les élèves faisaient semblant de se
tromper, elles ouvraient la porte, s'excusaient en
pouffant. Le Professeur leur souriait. Les nouvel-

les les enviaient, elles n'avaient qu'un but, passer à gauche.

Elles poursuivaient leur éducation qui était moins l'acquisition de certaines données que la perte de leur originalité. Apprendre, c'était oublier. Elles avaient appris à ne pas toucher. Les mains que les pensionnaires gardaient l'une contre l'autre, serrées dans le dos, étaient des mains qui n'avaient envie de rien, même pas d'un contact furtif qui eût pu s'établir, comme ça par mégarde. La règle était si rigide que l'accident d'une paume tendre sur une rampe douce avait été envisagé et exclu. Les élèves montaient et descendaient en rang, au milieu des escaliers. Les mains n'avaient aucune utilité, sauf pour les besognes auxquelles elles étaient contraintes et qu'elles devaient souffrir. Elles n'existaient pas. Elles n'étaient que les objets de la propreté, de la sagesse ou de la politesse. Mains qui présentent le peigne à la maîtresse, mains posées de part et d'autre de l'assiette, mains gantées de la promenade, mains jointes de la prière.

En prière, les mains de Tiffany imaginèrent un mouvement très lent qui flattait les paumes si finement l'une contre l'autre qu'elle ne s'en aperçut pas tout d'abord. Ce ne fut que plus tard, lorsque ses mains réclamèrent d'être pressées qu'elle comprit combien ce frottement usait ses sens, le désir de toucher peut-être. Tous les gestes de Tiffany se compliquaient de sensations qu'elle conjuguait très vite pour que ses mouvements restent naturels. Ballet aveugle de la main qui manœuvrait le pêne dans une poussée du poignet, tout en tâtant de l'index le vide de la serrure et de la paume le bouton de cuivre si froid et maintenant qu'elle ouvrait la porte, presque tiède. Elle serrait à pleines mains l'abattant du bureau. Elle retroussait le bord de sa jupe pour que la paille du prie-Dieu s'inscrivît dans sa chair.

Dans l'ombre de la Pension sur laquelle ses yeux s'étaient fermés, il ne restait à Tiffany que ses mains interdites. Elle en usait en cachette lorsqu'elle allait, rapide, dans les couloirs, le torse en carène. Ses bras ailés frôlaient les murs et lui disaient, après qu'elle fut passée, l'histoire d'un lieu que la vitesse lui avait caché. Tiffany qui regardait devant ne voyait que derrière, le bois des lambris, la chaleur d'un radiateur, le granité de la pierre, le lisse d'un bouton de porte. Les choses qui brillaient étaient plus douces que celles qui étaient opaques. Les objets lui disaient en froid et en chaud l'absence ou la présence. Tiffany allait vers ceux qui restaient chauds, un banc, une chaise, un lavabo dans lequel l'eau avait coulé. On venait de partir. Devant la place qui refroidissait, Tiffany ne se sentait plus aussi seule.

Le mouvement était nécessaire au toucher, l'odorat réclamait l'immobilité absolue. Les odeurs l'arrêtaient net et l'obligeaient à tourner la tête. Tiffany connaissait les odeurs des lieux et celles des heures. Elle avait compris que les jours changeaient de parfum. Dans le couloir, les yeux fermés, sourde, elle devinait la pluie ou le soleil, et même le gel et la boue. Que dire de

166

l'automne et du printemps qui arrivaient un matin par une fenêtre battante et se répandaient dans l'escalier.

La Pension était la fabuleuse forêt d'un nouveau monde où elle avait appris à subsister. Elle s'y était tressé des abris, en humait les dangers. Elle recherchait le doux, le chaud, le bon, déjouait les pièges et quand une voix claquait, elle en avait peur comme d'un cri de bête.

*

Des autres, Tiffany ne savait rien. Elle devinait qu'elles n'étaient pas toutes semblables. Elle en entrevoyait les clans, les amitiés, les solitudes. Elle ne pouvait affirmer qu'il ne s'agissait que d'une masse unifiée à laquelle, elle seule, n'avait pu s'intégrer. Non, elles étaient toutes différentes et la Pension avait fait de chacune les éléments d'un ensemble dont Tiffany, bien qu'elle n'en eût pas conscience, faisait partie. Mais cet ensemble n'était pas homogène, on le voyait bien maintenant que l'âge le travaillait sourdement. A la surface, il y crevait des bulles, les remous qui l'agitaient se répercutaient de l'une à l'autre en ondes molles et atteignaient Tiffany, au fond de la classe.

Un matin, Monique s'abattit sur sa table, en proie à une douleur qu'elle ne pouvait plus retenir. Comme un grand oiseau perché sur le cadavre qu'il emportera, la Dame l'interrogeait. Elle ne voulait rien dire. Peut-être préférait-elle se confier à une élève, une amie ? Moi, non, moi !

Elles se levèrent et se précipitèrent autour de la jeune fille. Tiffany regardait la classe qui chavirait. Elles la pressaient de répondre. L'autre étouffait. Elle marmonnait des choses inaudibles dans lesquelles la colère se mêlait à la peine. La classe faisait des suppositions. On imaginait des choses horribles, la mort ou le divorce. Le divorce était pire que la mort !

Finalement, Monique décida de faire sa confidence, mais à une seule. Le reste de la classe, fort désappointé, fut contraint de regagner sa place, de reprendre la leçon. Elles n'avaient d'oreille que pour les chuchotements, derrière. Est-ce qu'elles sauraient ? Est-ce qu'on leur dirait ? La pauvre ! Comme c'était triste ! Sa compagne de table se tourna vers Tiffany : LA PAUVRE !

La confidence s'éternisait. Dépêchons, Mesdemoiselles, dépêchons. L'interlocutrice n'arrivait pas à comprendre. Le ton montait. La colère avait tout à fait recouvert la tristesse, et si dans la bouche de Monique il y avait des sanglots, ils étaient de rage. La loi Cornenvin est passée, ils ont voté cette nuit la loi Cornenvin ! La classe muette attendait. Monique se déchaînait, elle expliquait que cette loi permettait au vin d'Algérie d'envahir le marché français dans des conditions scandaleuses. Elle pleurait. Cela causerait la mort des exploitants comme son père s'il n'obtenait pas le droit de couper son vin. Comment ferait-il avec son 10° contre le gros, l'immonde, l'épouvantable 13° et 14° algérien ? Elle répétait 14°. Elle demandait que l'on coupe, ou que l'on abandonne l'Algérie. Pas de milieu.

Le grand souffle de l'histoire venait de passer sur la classe, un souffle à 14° qui provoqua plus de déconvenue que de passion. Et le bordeaux, est-ce que cela le touchait ? Le bordeaux était le bordeaux, s'emporta Monique, mais il n'y avait pas que le bordeaux. Elle était de Cahors. Ce n'était pas de chance. La Dame conseilla à Monique d'aller à l'infirmerie. Une jeune fille se proposa pour l'accompagner. On ne pouvait pas la laisser seule dans un moment pareil. Elles franchirent la porte en se soutenant par la taille, on ne pouvait, à les voir de dos, deviner celle qui venait d'être touchée. La Dame triomphait, on ne gagnait jamais rien à lire les journaux, ne les avait-elle pas prévenues ?

Heureusement, les événements qui agitaient la classe n'étaient pas tous aussi dramatiques. Brigitte se fiança. La première fiancée de la classe, quelle chance, elles se sentaient toutes... fiancées. Maintenant ça pouvait leur arriver du jour au lendemain, à elles aussi ! Elles se précipitèrent sur la main de Brigitte. Est-ce que c'était elle qui l'avait choisie ou... son fiancé ? Pourquoi un saphir et pas un diamant ? Parce que ça porte bonheur, répondit Brigitte. Et elle refusa d'enlever sa bague pour qu'on la vît mieux, parce que ça portait malheur. Elle ne se marierait pas tout de suite, elle était seulement retenue, IL attendrait qu'elle ait fini ses études. Plus tard elle aurait une alliance de diamant, une autre d'émeraude et une troisième de rubis, une pour chaque enfant ! Elle voulait trois enfants ! Et comme la Dame qui surveillait la récréation, après l'avoir félicitée, lui demandait de garder dorénavant le bijou chez elle, la classe intercéda, unanime : Madame ! Sa bague de fiançailles !

*

Ce qu'elles pouvaient être dures ces Sanguinaires. Elles n'arrivaient pas à comprendre que le monde tournait plus vite maintenant que leurs élèves étaient des jeunes filles. Dire qu'il fallait traîner cette queue de Dizaine, supporter les enfants, même en promenade, alors qu'entre soi, on aurait pu aller au cinéma. Tout le monde allait au cinéma et elles, elles ne pouvaient que contempler les affiches !

La tête d'un très jeune homme hurlant de douleur ou de terreur jaillissait en gros plan de l'image. L'ombre cernait ses yeux, ses joues mangées par la barbe. Sa main protégeait sa fuite. Au fond la couleur jaune et rouge de l'explosion. Mer cruelle. Officiers sans nom. L'enfer de la jungle. Le temps de mourir. Sur le côté une femme à la bouche noire attendait. Le visage blanc de la femme dans l'affiche grise, l'ovale parfait qui se découpait dans la nuit était un visage de nonne sur lequel on avait ajouté, graffiti de la violence, des cils démesurés et des bouches tordues.

Il ne fallait pas rester devant, il ne fallait pas avoir l'air de regarder. Les pensionnaires repartaient, le visage tendu comme autant de drames de cinéma. Elles se faisaient une image tragique du monde où les femmes pleuraient pendant que les hommes faisaient la guerre. Elles s'en allaient heureuses d'être protégées avec au fond du cœur, et ça elles ne pouvaient l'expliquer, une nostalgie infinie. La douleur leur semblait belle, la passion magnifique et la guerre troublante.

Tout bas, elles parlaient de ce qu'elles venaient de voir. Sur la lande une femme et un homme s'étreignaient, silhouettes confondues. Le vent faisait voler le châle et les cheveux de la femme. Il allait partir. Elles reconstituaient l'histoire. Il la quittait. Elle le suppliait de rester. Elle l'aimait. Il ne l'aimait plus. Il y avait la guerre.

La tentation était grande de voir derrière l'affiche ce qui se passait vraiment. Elles faillirent obtenir satisfaction pour un roi à genoux qui levait le poing vers le ciel, coté pour tous. C'était historique, c'était Shakespeare. Et puis il était si laid, si méchant qu'elles ne risquaient rien. Dites oui, Madame ! Elles suppliaient, elles voulaient y aller tout de suite. Un roi, ce n'était pas un homme. Elles insistaient, il était si laid. Elles le juraient, elles le trouvaient affreux.

On en discuta toute la semaine. La laideur de Richard III, sa monstruosité devint peu à peu l'unique argument du spectacle ! Elles convainquirent la Dame autant de l'innocuité du film que de la force de caractère qu'elles montreraient face à un destin méprisable. Les petites à qui l'on ne faisait que décrire les déplaisirs du spectacle ne voulaient pas y aller, la bouche boudeuse, prêtes à pleurer. Elles avaient peur. Très bien, les petites resteraient, les grandes

iraient toutes seules, mais on en discuterait
après.

Au loin, n'eût été l'encadrement de bois qui en
désignait la place, rien ne distinguait les affiches
du mur. Plus près, le bouleversement des valeurs
mit le cœur de Tiffany en alerte. Il y avait moins
de blanc vers le haut où se trouvait le ciel, et
moins d'ombre où se tenait le corps du roi.
Devant, il fallut se rendre à l'évidence. Richard III avait été remplacé par un de ces jeunes
hommes vomissant de terreur.

*

Elles se sentaient très malheureuses. Les
Dames leur affirmaient le contraire. Elles ne le
croyaient pas ? Qu'elles regardent autour d'elles.
Ah ! les SANS-ABRI, le affamés, les... elles
savaient et se trouvaient tout aussi malheureuses. Et en regardant plus près ? Où ça ? Dans
les hôpitaux, chez les sœurs de Saint-Vincent-de-
Paul. D'ailleurs il était temps de faire la B.A. de
Noël. Cette année on irait couper les ongles des
petits vieux ou préparer l'arbre de Noël des
Repenties. La Dizaine de Tiffany choisit les
Repenties.

Les jeunes filles bleues se mêlaient aux jeunes
filles revêtues de tabliers beiges. On ne pouvait
les confondre. Les plus petites découpaient des
guirlandes dans du papier journal. Elles avaient
beau effranger, contourner les festons, faire de
petits bonshommes — si tous les gars du monde
pouvaient se donner la main —, leurs guirlandes

172

qui suaient l'encre restaient grises. Rien ne disait dans le sapin l'éblouissement de Noël. Et bien que les Sœurs du Bon Pasteur fissent mine de le trouver merveilleux, les Repenties, qui avaient dans leurs intenses et courtes vies contemplé plus d'affriolants Noëls que les Dames, les Sœurs et les élèves des Sanguinaires réunies, dédaignaient, les bras ballants, l'arbre de papier.

Les plus grandes se mirent courageusement à fabriquer des santons. On emmaillotait des bouteilles, une boule de papier, encore ! pour la tête. Elles leur donnaient le truc, facile, qu'elles essaient aussi. On trempait le journal dans l'eau, on pressait, comme ça. On serrait dans son poing et on coiffait la bouteille. Assises autour d'une table en silence, elles mouillaient, pressaient, serraient, coiffaient. On se serait cru à l'usine.

C'est en habillant les bouteilles que les Repenties s'animèrent. Elles voulaient fabriquer des moustaches et des barbes et proposaient de couper les poils des balais, les franges des rideaux, d'éventrer un coussin pour en retirer la laine ou la plume. Ils n'étaient pas drôles les santons faits de tabliers et de torchons, les rois mages comme les autres. Les élèves des Sanguinaires avaient de la peine à maîtriser ces volontés décoratrices. Elles ne manquaient pas d'idées, les Repenties ! Non, tout devait être en papier, et pour les cheveux, on effrangerait plus fin.

Lorsqu'elles se rendirent compte qu'il y avait trois Vierges et quatre saint Joseph, elles éclatèrent. Elles s'interpellaient par-dessus les têtes des Sanguinaires. Tu as fait une Vierge, toi aussi ? Et toi ? Un saint Joseph ! Elles étouffaient de rire. Eh ! Martine a fait une Vierge ! Marie, aussi. Madame de Sainte Chantal qui faisait mine de ne pas entendre proposa que l'on réformât les Vierges et les Joseph en surnombre en femmes du village et en bergers. L'hilarité était à son comble. Alors si les femmes sont Vierges et les bergers Joseph... Les petites voulaient savoir pourquoi elles riaient comme ça.

Leur joie ne s'arrêta pas de tout le goûter où les Sanguinaires leur servaient elles-mêmes du chocolat et des biscuits. Elles soufflaient dans le papier d'argent et en arrachaient de longs sons stridents ou des sifflements qui avortaient dans de pénibles bredouillements. Par ici, les Vierges ! Dehors les pucelles. Le mal semblait irréparable, la bonne volonté des Sanguinaires s'était heurtée à un mur.

Elles les laissèrent à leur papillotes, devant la crèche qui ressemblait à un comptoir de vins et spiritueux. Elles quittaient un monde terrible, une énorme déconvenue au cœur. Et bien que les Sœurs du Bon Pasteur les eussent remerciées pour leur geste charitable, elles trouvèrent que les Repenties manquaient d'usages et surtout de reconnaissance. Il ne faut pas trop leur en vouloir, dit Madame de Sainte Chantal. Ce n'était pas leur faute. La vie... Elle laissait entendre que seule la vie donnait ces regards lourds, ces rires fous. C'était la vie qui les avait blessées à vie...

174

*

De mères, les Dames étaient devenues les
sœurs de leurs filles qui avaient grandi. Le
changement s'était fait tout naturellement. Les
jeunes filles s'étaient transformées en Dames
bleues et les Dames noires qui les avaient élevées
en pensionnaires à vie qui resteraient alors
qu'elles partiraient, des redoublantes pour
l'éternité. Les jeunes filles, seules, avaient été
éduquées, les éducatrices, elles, n'avaient rien
appris. De la génération d'enfants qui leur était
passée entre les mains, il ne leur resterait rien.
Elles avaient beaucoup donné et ne recevraient
qu'une gratitude molle, un ennui courtois. Elles
avaient été tolérées.

Les Dames ne cachaient pas leur tristesse.
Elles essayaient, dès qu'elles voyaient leurs
oiseaux prêts à s'envoler, de les retenir, de les
attendrir peut-être. Est-ce que Nicole et Cécile se
souviendraient un peu de leur Maîtresse ? En
parleraient-elles quelquefois, et pendant
combien de temps ? Si les morts parlaient, ils
diraient ce que murmuraient les Dames Sanguinaires : Ne nous oubliez pas trop vite ! Les
enfants étaient pleines de leur importance, elles
promettaient d'être sages et d'y penser quelquefois. Quels serments ! Elles en riaient entre elles :
Tu parles si je vais y penser à Sainte Eustache, tu
parles si j'aurai le temps !

Elles étaient fin prêtes pour l'oubli. Elles
n'avaient pour les grandes Dames de leur

enfance qu'une vague pitié doublée d'un peu d'aigreur. Elles en avaient bavé. De ça elles se souviendraient. Pour le reste, elles les plaignaient de rester. Elles n'imaginaient pas qu'elles fussent là par le désir de Dieu mais par la faute des hommes. Des laissées-pour-compte. En partant, elles leur devenaient supérieures. Elles pensaient que les Dames n'avaient eu d'autre raison qu'elles, Cécile, Nicole et les autres, d'être là. Elles se sentaient grandies. Être la vie de quelqu'un, fût-ce une religieuse, c'était quand même quelque chose. Bientôt, elles seraient celle d'un homme, c'était beaucoup mieux, ou peut-être, un homme serait-il le sens de leurs vies. Qu'est-ce qui valait mieux, être aimée ou aimer ? Prudentes, elles désiraient d'abord être aimées. On aimait toujours assez. Une sorte d'indépendance dans l'amour.

Ainsi, elles avaient été tout pour ces Dames-là. Qui l'eût cru ? Elles s'étaient attachées ! Les Dames évoquaient de petits souvenirs. Croyant réveiller l'affection, elles soulevaient des rancœurs. Il était beaucoup question de peines consolées, de larmes essuyées. Les jeunes filles retrouvaient intacte la source de ces larmes. Parce que ce jour-là, vous aviez été injuste, ce n'était pas moi qui avais triché mais Madeleine, et c'est moi qui avais été punie, comme d'habitude ! Elles chipotaient sur des incidents vieux de trois, quatre ans, peut-être plus, et la Maîtresse se justifiait.

Elles menaçaient de leur oubli les Dames qui n'espéraient que le souvenir d'une prière, même pas une visite, jamais de fleurs. Elles les renvoyaient à Dieu dont elles avaient l'habitude et aux petites qui arrivaient. Elles verraient les Sanguinaires, elles comprendraient leur bonheur, elles n'avaient qu'à voir les nouvelles. Ces gosses disaient de ces choses ! Parce que c'était vous, Madame, qui me mettiez toujours 7 en ordre. Et le lit que vous m'aviez obligée à refaire, vous vous en souvenez au moins ?

Si les religieuses voulaient vraiment s'en sortir ! Mais cela voulait dire sortir, elles ne le pouvaient pas. Les jeunes filles n'avaient plus qu'à les oublier et à leur amener dans quelques années un bébé, la preuve qu'elles, elles vivaient ! Rien pour les autres. Mais les Dames Sanguinaires n'étaient pas à une trahison près. Le temps leur donnait leur revanche. En patientant un peu, elles verraient revenir le bébé transformé en fillette bleue et accompagné par sa mère. Elles diraient à la petite fille : J'ai bien connu votre maman, j'espère que vous serez aussi sage qu'elle. Elles entendraient Cécile ou Nicole assurer à l'enfant que dans cette Pension elle serait heureuse, comme elle l'avait été.

*

Soudain, après avoir fait tout ce qui était en leur pouvoir pour les en écarter, les Dames leur ouvraient les portes du monde. D'abord, avec prudence, la bibliothèque. Mais lorsque le placard, au fond de la classe, laissa apparaître ses livres jaunis, tous semblables sous leurs couvertures bleues, les jeunes filles ricanèrent. Elles avaient tout lu. Oui, elles avaient lu tous les livres, elles savaient tout. Elles citaient des noms défendus, des ouvrages interdits, sans que leur visage portât le moindre signe de flétrissure. Mais comment avaient-elles... ? Leurs parents les leur avaient donnés. On ne pouvait rien leur dire.

En cours de morale, on dressa pour elles la liste de ces merveilleux métiers, tous de dévouement, qui préserveraient leur féminité tout en n'exigeant, du moins au début, que le brevet. Elles s'indignèrent : Assistante sociale, puéricultrice, infirmière ! Je serai médecin, je serai avocat. Elles iraient jusque-là, ne faisant qu'une bouchée du brevet, elles pensaient déjà à Math-Élem. Je ne serai rien du tout, déclara Tiffany. On ne l'interrogeait pas, elle était trop jeune, juste bonne pour le brevet, celle-là. Je ne serai rien du tout, se disait Tiffany.

Elles reçurent un timide cours de préparation au mariage qui fit glousser et scandalisa les esprits forts. Moi, je ne veux pas me marier. Dieu sait ce qu'elles sous-entendaient par là, mais elles choquèrent moins qu'elles ne le pensèrent. Une Dame, qui comme elles n'était pas très favorable au mariage, leur vanta avec enthousiasme les mérites du célibat. Tiffany comprit que le mariage ne serait pas différent de la vie à la Pension. L'ordre, l'exactitude et la politesse en constituaient les vertus essentielles. Elle laissa entendre qu'elle aussi était contre le mariage et pour le célibat.

Quoi qu'en dît Madame de Sainte Chantal, l'avenir ne les effrayait pas. Entrer dans le monde leur semblait une chose particulièrement agréable, ce qu'elles avaient désiré des années durant. Et que cela fût si proche, au bout de l'année pour certaines, un peu plus tard pour les autres, de toute façon pour leurs dix-huit ans, les excitait toutes. Le mirage de la liberté, de ce qu'elles en feraient les rendait plus solidaires. Elles se donnaient des rendez-vous pour dans dix ans, à leur mariage, chacune promettait d'être là. Je viendrai du bout du monde, je le jure. En attendant, elles se retrouveraient au bal de fin d'année.

Elles s'attendraient dans le hall du Casino. Tiens, voilà Cathy. Elles admireraient leurs robes, du vichy avec de la broderie anglaise. Jacqueline ne pouvait pas venir. Alors, elles entreraient dans la grande salle tapissée à l'infini de petites vaches rouges, l'emblème de la ville, sous les lumières très hautes des lustres impassibles. Autour d'une table recouverte d'une nappe blanche, elles boiraient du mousseux. N'était-il pas trop tôt ? Elles jetteraient un regard plein d'espoir vers les garçons aux cheveux courts assis près de l'orchestre. Il en viendrait bien un. Il les inviterait à un paso doble. On continue ? Attendez, il va y avoir un slow. Les lumières s'adouciraient, elles fermeraient les yeux.

Pour Tiffany, entrer dans le monde serait revenir par un après-midi d'été dans la Propriété. Elle se promettait ce jour-là de passer par le portail et de n'emprunter aucun raccourci. Elle irait pas à pas tout au long de l'allée, reconnaissant chaque pierre, posant sur chaque arbre la marque de son regard. Le monde lui apparaîtrait, gris, doux, plein de feuilles. Elle entrerait dans le monde par la grande porte en faisant sonner la cloche. Le monde serait en haut dans la chambre verte, elle lui dirait : Je t'aime.

Troisième partie

I

Sans feuillage, d'un coup, la tour perçait le ciel. Un roc de plus au flanc de la colline, un glaive fiché dans la douceur de vivre. Les nuages amoncelés sur les montagnes écrasaient la maison dont on croyait entendre sous le premier éclair le craquement. La lumière trempait de jaune brillant la belle façade terne, éclaboussant de noir les carreaux tièdes et clairs, hissant comme un mât le mur infranchissable d'une figure aveugle. Les arbres d'ombre au feuillage renversé par le vent dans un sens, puis dans l'autre, sous le ciel d'ardoise, donnaient le vertige. La Propriété, carcan enserré par l'orage, broyait les os de Tiffany.

Les arbres dressaient le décor de la Propriété. La terrasse était encadrée comme une scène de théâtre, un pin à droite, un acacia à gauche. Les plates-bandes couvertes de fleurs faisaient un tremplin, rouge, bleu, ou jaune à la saison des jonquilles, aux montagnes que ceux de la Propriété virent toujours amputées, à gauche du Vignemale, à droite du pic d'Anie. Pour les découvrir dans une vue plus large et panoramique, il aurait fallu abattre, il n'en fut jamais question. Ils s'étaient fait à cette vue étroite et humaine d'un paysage gigantesque, presque démesuré. Et comme on se protège les yeux d'une lumière trop blanche, ils se défendaient de l'immense roulement des montagnes par le feuillage des arbres qu'ils n'élaguaient jamais. Dans la prairie, en contrebas, un chêne cachait le village, vers les coteaux les cèdres balayaient le ciel, tout au long de l'allée on comptait en ombre et en lumière les troncs des chênes et les trouées éclatantes du soleil sur les prairies tendres. La maison donnait sur les arbres, chaque fenêtre était le cadre rectangulaire d'un tableau végétal.

Les arbres sont éternels, leur mort tient du cataclysme. Que s'était-il passé pour que le chêne d'Amérique qui se dressait au milieu du parc fût déraciné? Vision d'apocalypse. Au tournant de l'allée, la vue s'étendait soudain trop loin sur des plans différents, passant par-dessus les racines dressées et le feuillage encore vivant dans le désordre des branches brisées. Tiffany se sentit blessée au plus profond de l'être. Elle ne pouvait rien que le contempler, là, agonisant, attendre que les feuilles souples se recroquevillent et s'effritent dans l'odeur terrible de la terre déchirée, la violence de la nature bouleversée, l'irrémédiable, le définitif, l'espace brisé à jamais.

La pluie commençait à tomber. Au creux de l'orage, Tiffany courut vers la maison. Dès la porte elle appela : Où es-tu ? Un appel à chaque geste devant la glace du vestibule, en enlevant le manteau mouillé, les gants, le béret. Où es-tu ? Tiffany cherchait Madame Désarmoise dans chaque pièce. Où es-tu ? Et sa voix recouverte par le tonnerre se heurtait aux marches de l'escalier, se cognait aux portes, s'éraillait à l'étage. La porte de la chambre de sa grand-mère battait. On avait oublié de fermer les fenêtres et la tempête sifflait là-haut. Tiffany éclaira le plafonnier. Les draps rabattus sur un lit vide découvraient la forme d'un corps. L'armoire ouverte laissait échapper la manche d'un manteau. Par terre le tapis avait été déplacé. Sur la commode une seringue, des ampoules. Sur la table de nuit, un verre renversé. Où es-tu ?

*

Le silence de la maison grossissait dans l'ombre. L'horloge du couloir précipitait ses coups comme si la nuit qui venait de tomber accélérait le temps. Ils n'étaient pas rentrés ! La nuit oppressait Tiffany, mais la lumière, celle du plafonnier de la chambre, l'effrayait plus encore. Elle ne se résolvait pas à allumer le lustre du bureau sachant trop que les bruns du crépuscule disparaîtraient d'un coup, que la nuit serait d'encre, que la lumière serait un cri dans la nuit. Mais si elle n'allumait pas, ce seraient les bruits qui surgiraient de tous les étages, de toutes les pièces et commenceraient à descendre l'escalier pour attendre à la porte. Elle était prisonnière des bruits, prisonnière de l'ombre, elle avait peur.

Elle n'y tint plus et sauta par la fenêtre, heureuse d'avoir pu déjouer le piège en ne passant pas par le couloir. A cet instant, elle aurait voulu que la maison brûlât pour en finir avec les terreurs qu'elle enfermait. Dehors, les grognements du village invisible montaient vers la maison, la cernaient, la guettaient. Des crissements de voitures qui enflaient et crevaient, et des éclats de voix comme des grincements de chaînes. Tiffany tremblait. Elle se dirigea vers la ferme, se rassurer à un feu rougeâtre dans l'unique fenêtre. Rester là, à proximité pour les attendre. Mais le chien, qui pourtant la connaissait, s'était alerté de ses pas retenus, de son angoisse, de son silence. Il grondait. Elle essaya de lui parler, il hurla.

La nuit se déchaînait. La porte s'ouvrit, la fermière calma le chien, s'inquiéta d'éventuels rôdeurs. Elle aperçut Tiffany. Comment, elle était là ? Depuis longtemps ? Ils ne l'avaient pas entendue arriver. Ils étaient à table. Justement, ils se disaient qu'on l'avait peut-être prévenue. Mon Dieu, elle était toute mouillée ! Quel temps ! Elle avait vu l'arbre ? La tempête. Qu'elle entre.

Sous l'ampoule nue, le fermier mangeait. Il frottait de l'ail sur du pain qu'il trempait dans son assiette. Il parlait. Tiffany ne le comprenait pas, moins pour l'accent qui déformait les sons que pour la voix qui mâchonnait et avalait ses mots. Il s'embrouillait et pour s'expliquer revenait toujours aux rares termes qui faisaient le fond de sa langue. La fermière traduisait.

L'ambulance était venue au début de l'après-midi, même que c'était elle qui était allée chercher le docteur et lui qui avait fait téléphoner à la pharmacie. La bonne était partie avec. Ils ne savaient rien de plus. Et qu'est-ce qu'elle avait, Madame Désarmoise ? On disait la tuberculose. On disait le cancer. Elle, elle ne savait rien. Qu'est-ce qu'elle avait, Madame ? Elle mettait une assiette.

Le béret de l'homme cachait le haut de son visage mais la lampe éclairait ses chicots bleuâtres, sa bouche grasse et les poils humides de sa moustache. Il repoussa son assiette et recula dans l'ombre. Au plafond, un mouton dépecé regardait de ses globes exorbités. Tiffany sursauta. Qu'avait-elle ? Le mouton ! Enfant, elle avait été autrement courageuse. Il lui rappelait les menus meurtres auxquels elle voulait assister. Toujours aux premières loges pour un cochon égorgé, une poule ébouillantée, une oie gavée.

Tiffany se souvenait d'avoir vu tuer. Elle se rappelait être restée, immobile, devant la bête que l'on préparait sur le billot de bois. Au tout dernier moment le cochon fermait les yeux. Il serrait ses petites paupières sous ses fins cils roux. Il pleurait. Entre les genoux de la fermière, l'oie tournait de l'œil. La prunelle brune devenait d'un blanc de porcelaine. La fermière arrêtait le forçage. L'oie repartait d'une démarche ivrogne. Mais le cochon était de marbre. On le pendait à une échelle dressée contre un mur. On le fendait, il s'échappait de la vapeur, tout roulait à terre.

Tiffany se souvenait. Des chats que son grand-père étranglait pour préparer sa pêche. Il les faisait tourner avec violence autour d'une branche. Affolées par la chair fraîche, les poules accouraient. Chasse les poules, Tiffany. Et devant le chat qui se débattait encore, Tiffany menait bonne garde. Après, on le mettait très haut pour que les chiens ne viennent pas le dévorer, mais les oiseaux y picoraient les précieux vers blancs. Va voir, Tiffany, s'il est encore dans l'arbre. Des limaces empalées sur de fines baguettes acérées. Tu viens aux limaces, Tiffany ? Non, pas comme ça. Comme ça, en plein milieu, autrement elles se défont. Des taupes à inonder. Tu tourneras le robinet quand on te le dira. Vas-y. Arrête ! Tiens donc le tuyau. Des poulets saignés à la cuisine. Le Colonel le faisait mieux que personne, mieux que la bonne qui tranchait le cou. La bête coincée sous le bras, il farfouillait dans la gorge avec des ciseaux. En un clin d'œil, le poulet devenait gargouille. Tiffany tenait la cuvette, attentive à ce que le sang n'éclaboussât pas le pantalon du Colonel. Sur la table, le poulet, déjà mort, tressaillait.

C'était un cauchemar de petites vies haletantes, de respirations hachées, de museaux écrabouillés, de mouches noyées, de poissons asphyxiés, de crapauds crevés, de chauves-souris sanglantes, de lapins éborgnés, de hérissons brûlés, de terriers enfumés, de chiens écrasés, d'oiseaux dévorés. Un monde infernal. La vie, disait Madame Désarmoise qui pensait à la mort.

Au bout de la table, le fermier avait commencé de découper le mouton. Au milieu des chairs sanglantes, des ossements, le couteau à la main, il ressemblait à un ogre. Tiffany ne pouvait rien avaler. Au fond de la marmite la fermière cherchait quelque chose qui pût lui faire plaisir. Un cou, une tête, une patte de poule ? Seulement pour goûter. Elle détachait la chair et la patte devenait griffe, serre, réduite à ses ongles, à ses nerfs, à ses os. Elle prenait ensuite la tête, ôtait la crête, les bajoues et lorsque toute la peau avait été rognée, elle ouvrait le crâne et curait de la pointe du couteau un peu de cervelle. Entre les coups de tranchet, Tiffany entendait le raclement de la lame sur les os.

*

Alors une tartine beurrée avec de la cassonade ? La viande, c'était peut-être trop fort pour elle ? La fermière coupait le pain, le tartinait de beurre, le saupoudrait de sucre. Comment remercier ? Prendre la tartine et manifester sa reconnaissance ? A peine Tiffany avait-elle ouvert la bouche : C'est bon, que la fermière rejetait le compliment avec défi : C'est simple.

Lui et elle avaient été de l'Assistance. Depuis leur mariage, ils avaient travaillé, lui et elle, à la Propriété. Avec la fierté des êtres ruinés dans leur chair, ils lui disaient qu'ils avaient soixante-dix ans, attendant de lire sur son visage une juste admiration. Ils lui dirent qu'autrefois le beurre et la cassonade, c'était pour les fêtes. Ils lui racontaient leur histoire, leur misère, avec l'orgueil des gens qui ont réussi. Ils n'avaient rien eu. Ils n'avaient toujours rien, mais ils avaient survécu. Quelle victoire !

La gorge serrée, Tiffany ne pouvait continuer à manger la tartine. Elle se rendait compte de l'indécence terrible qu'il y avait à faire travailler un homme et une femme de soixante-dix ans. Elle mesurait la misère du feu qu'on leur concédait : il y avait tant de bois partout, poreux, humide et terreux ! La misère de l'ampoule unique : électricité payée ! La misère de l'eau dans le seau : et l'eau à volonté ! Elle éprouvait une pitié immense pour le vieil homme à qui la vie n'avait même pas appris à parler.

Qui incriminer, la malade là-bas qui mourait ? L'autre vieillard qui administrait son domaine ? Elle, Tiffany ? qui n'avait jamais franchi leur seuil : On ne doit pas déranger. Ou ceux-là qui n'avaient jamais parlé ? ouvrant et fermant le portail, le chapeau à la main et ces dernières années couverts parce qu'ils se faisaient vieux. Et pourquoi, ce soir où l'univers s'écroulait, recevoir en plus le poids de ces vies détruites ? Que pouvait-elle faire ? Et les autres, tous les autres, qu'auraient-ils dû faire ?

De sa pitié, ils n'en voulaient pas. Ils la tenaient, ils voulaient qu'elle admirât leur intérieur, qu'elle les louât pour leur vie, qu'elle les félicitât de leur santé. Pauvre Madame, toujours couchée et si maigre ! La fermière ne s'était étendue que pour accoucher, et hop, dans les champs. Lui, il lui fallait les mouches dans la tête pour s'asseoir. Parfois cela faisait un drôle de zinzin là-dedans. Ah ! ils étaient d'une autre trempe que ceux d'en haut. Ça lui faisait quel âge au Colonel ? Et, elle, Tiffany, est-ce qu'on penserait qu'elle avait quatorze ans ? Ils la trouvaient bien petitoune. Ils la méprisaient.

Même l'école ne trouvait pas grâce à leurs yeux. Ils n'y étaient pas allés. Ils la plaignaient de ne pouvoir en finir avec ses études. Le travail, ça devait lui tarder, non ? Ils l'avaient vue pleurer dans l'auto qui la reconduisait à la pension. Elle n'était pas heureuse, elle ne pouvait pas le nier. Ils la comprenaient aussi, vivre avec des nonnes... Le vieux éclata de rire.

Tiffany se sentait secrètement insultée. Il aurait fallu qu'elle prît la défense du système, qu'elle clamât la santé de l'une, le bonheur de l'autre, qu'elle assurât la primauté et l'excellence de l'éducation des Dames respectables. C'eût été son devoir. Mais elle avait pleuré. Ils l'avaient bien vu, ELLE AVAIT PLEURÉ. Elle se taisait. Derrière le mur on entendait dans l'agitation confuse des vaches le tintement d'une sonnaille. Cora. Le fermier cria. Le bruit s'apaisa. Tiffany prit sur le buffet un bambi dont la couleur bleu gentiane indiquait la pluie. Elle dit : C'est joli. La fermière le lui prit des doigts : Ça se casse !

*

Ils ne reviendraient plus maintenant, mais Tiffany préférait les attendre en haut, dans la chambre, près de la place vide. Déjà le lit de velours vert aux draps raides où ses initiales s'enlaçaient en torsades nacrées lui disait sa présence. Tiffany était restée tant de fois comme à présent, à la contempler qui s'endormait ou qui s'éveillait, attendant un signe pour la rejoindre. Mais elle ne voulait pas que l'enfant entrât tout à fait dans les draps, elle permettait tout au plus qu'elle se tînt entre édredon et couverture dans cette demi-chaleur qui n'était pas tout à fait la sienne. Non, Tiffany ne l'embrasserait pas non plus. Elle lui caressait la joue.

Dans l'armoire, Tiffany prit une chemise de nuit, elle lui allait. Elle défit ses cheveux et les rassembla comme elle l'avait vu faire pour qu'ils ne s'emmêlent pas, en une seule tresse qui tombait jusqu'au bas du dos, et puis, sans fermer les volets, elle se glissa dans la place offerte, elle était froide. Elle enfonça sa tête dans le creux de son épaule, dans le veloutement de la chemise, elle percevait plus sec la pointe du col, plus rêche le bout de sa natte, tiède un peu de peau.

Sa grand-mère rose et bleu. Bleu sur rose, rose sur bleu, un semis de fleurs pâles sur l'austère chemise aux poignets exacts, au col tranchant, bordé de croquet que les lessives avaient amolli, puis roulotté. Un corps sans pinces, sans nervures ni évasements en calice. Un corps qui n'existait pas, car ses habits quels qu'ils fussent l'avaient caché, mode après mode, des clavicules aux mollets. Quelquefois un peu plus haut, jamais plus court. Un fauteuil de peluche débordait de ses enveloppes successives. Elles étaient légères, transparentes, rugueuses ou soyeuses, rien qui racontât en plein et en creux l'histoire de son corps. Elles avaient toutes la forme sans appel de sa chemise.

Dans les draps où son parfum renaissait, elle la respirait comme une fleur chaude au déclin du soleil. Ils rendaient ses odeurs douces qui se mariaient avec celles de la Propriété. Tiffany y retrouvait les clématites du printemps, les lilas d'avril et aussi la touffeur de ce massif de roses d'arrière-saison, tendres jusqu'au vertige, avec la fraîcheur de la vase sous les pierres et celle de la mousse sous les arbres, avec la chaleur de la terre sous le bruit des feuilles mortes et le silence de la neige. Toutes ces senteurs l'avaient ensevelie.

Elle se serrait contre elle, épousant — parce qu'elle lui tournait le dos — avec son torse ses reins, avec ses jambes ses cuisses ; un pied flottait sur ses chevilles, sa peau. Elle lui caressait ses longs cheveux, imaginant — tellement ils étaient vivants — qu'ils étaient le ventre d'un lièvre dont ils avaient le gris tendre, le beige doux. Non, ce n'était pas raisonnable. Sa pauvre voix haletait. Tiffany ne devait pas rester. Elle ne pouvait dire les jolis mots qu'elle pensait, les longues phrases qu'elle écrivait. Tiffany devait retourner dans sa chambre, dans son lit. Elle n'avait de force que pour les interdictions et l'effort était tel qu'elle y renonçait aussitôt.

193

Tiffany feignait de dormir, dans sa main, elle tenait le bout de sa natte, si loin d'elle qu'elle ne s'en apercevait pas.

Le silence la réveilla en sursaut. Tout lui apparut, l'absence et la lumière. L'arbre qui manquait devant la fenêtre avait fait avancer le jour. La pluie s'était arrêtée, aucun bruit ne montait de la ferme. Elle était toute seule. Elle pensa d'abord qu'il était plus tard qu'il n'y paraissait et puis l'horloge égrena ses coups, il était tôt encore. Elle avait tout le jour devant elle. Elle enfonça la main sous le traversin et trouva le petit mouchoir secret roulé en boule. Il était raide de sang séché.

*

Tiffany partit chez le médecin. Elle prit à travers la prairie, coupant au plus court dans l'herbe détrempée. Près du portail, elle se heurta à un fauteuil roulant abandonné. Elle ne reconnut pas celui de l'infirme qui à l'automne ramassait des glands et broncha lorsqu'une forme à quatre pattes, plus loin, la salua. L'estropié était venu chercher le petit bois que la tempête avait fait tomber. Il était recroquevillé au sec, sous un arbre, devant un minuscule tas de brindilles. Tiffany lui proposa de l'aider à en remplir son sac. Il refusa et en rampant continua de glaner.

Sous le pont, la rivière qui avait grossi roulait ses eaux blanches avec des résonances de tambour qui étouffaient tous les bruits renaissants et les chants des oiseaux. La femme du médecin était dans son jardin. Elle tentait de redresser quelques tuteurs. La pluie avait mis les gardénias en bouillie. Elle prit Tiffany à témoin : Quelle catastrophe ! Poliment Tiffany acquiesça avant de demander à voir le docteur. Il était déjà parti. De Madame Désarmoise elle ne savait rien. Peut-être Tiffany pourrait-elle obtenir des renseignements à la pharmacie. Ils savaient d'ordinaire où l'on convoyait les urgences. Elle revint aux fleurs : Quel gâchis ! surtout au moins d'avril, à Pâques ! Ce serait irréparable.

Tiffany courait. Essoufflée, elle dut ralentir. La route lui semblait longue. La maison du poète, l'étage du tailleur, l'échoppe du cordonnier, le presbytère, tout était fermé. Elle aurait voulu que quelqu'un, même une personne qu'elle ne connaissait pas, vînt à sa rencontre et lui dît par pitié ce qu'elle devait faire. Elle aurait voulu que sur son passage chacun sortît de sa maison et l'accompagnât. Ils seraient arrivés en foule devant la pharmacie. Ensemble, ils auraient demandé. Elle avait les larmes aux yeux, moins à cause de sa détresse que parce qu'il lui semblait qu'elle était abandonnée et que le village, indifférent, se désintéressait d'elle.

Elle en trouva pourtant dans la pharmacie derrière un voilage pur tergal qui les dissimulait aux bien portants du trottoir. Ils tendaient les secrets de leur corps, noir sur blanc, à la fille du boucher, qui avait gagné sa pharmacie dans la culotte, entre le tendon et le nerf de bœuf. La file était longue. Tiffany attendait. Le pharmacien et la pharmacienne se dépensaient, montrant derrière le comptoir les signes d'une agitation aussi professionnelle que domestique. Leur fils était en vacances.

La pharmacie tout entière restait suspendue au tintement de la machine enregistreuse où le jeune homme venait, comme il aurait fouillé dans sa poche, puiser de l'argent. Il filait. La pharmacie reprenait souffle. Vous le gâtez Monsieur Gérard, dit une cliente qui, ayant vu le billet qu'elle venait de donner soustrait par le jeune homme, avait de ce fait l'impression qu'elle contribuait excessivement à l'entretien du fils prodigue. Il faut bien, soupirait la pharmacienne adorante. Il faut bien, bafouillait la file d'attente. S'il n'en profite pas maintenant, ce ne sera pas après. Après, ils y étaient. Les langues se déliaient, on s'entretenait, on se rassurait, on se vantait. On n'avait rien, mais le docteur poussait à la consommation.

Alors il a demandé l'auto, alors on lui a acheté l'auto, soupirait la pharmacienne dans le trille de sa machine à sous. Elle donna un billet à la bonne, la file apprit qu'elle mangerait des côtelettes d'agneau. Elle s'excusa : C'est vite fait. Quelqu'un approuva et ajouta aussitôt que c'était léger ; il voulait en venir à son régime à lui, sans graisse ; il voulait l'avis de tous et la bénédiction de la pharmacienne. Un client sortit, un autre entra, la file avançait.

Et pour vous, Mademoiselle ? Tiffany bredouilla. Tous l'écoutaient. Il y avait une impudeur terrible à dévoiler ainsi la maladie de Madame Désarmoise devant ces badauds. Il lui

196

semblait qu'elle la trahissait ou, plus grave, qu'elle la rendait véritablement très malade. Les pharmaciens s'interpellaient. Et tu sais, toi, l'ambulance ? Sallenave ou Rechencq ? Si c'était Sallenave, c'est l'hôpital, si c'était Rechencq, la clinique de La Roseraie. Sallenave ou Rechencq ? La bonne qui était revenue avec les côtelettes dit qu'elle se souvenait, c'était Sallenave.

*

P., qu'elle découvrit en descendant du car, était une ville inconnue. Une ville blanche sous le ciel bleu. Une ville au printemps, à la fin de la matinée, avec du bruit, des gens. Tiffany était perdue. Tant qu'elle n'avait eu qu'à suivre le chemin de toujours, monter dans le car, sa résolution lui paraissait déconcertante de facilité, elle irait à l'hôpital. Sur le trottoir, éblouie par tant de lumière, elle ne savait plus où aller, hésitant à demander sa route. Depuis longtemps les voyageurs s'étaient dispersés, elle attendait.

Elle se résolut à arrêter un passant, il ne savait pas. L'hôpital était un endroit inaccessible. Elle recommença pourtant. La personne qui la renseigna était si prolixe dans sa précision que dès le premier nom de lieu, Tiffany perdit pied. Elle remercia avec effusion. Elle se rappelait seulement qu'elle devait d'abord passer par la place de Verdun. Où se trouvait la place de Verdun ? Il lui fallut demander encore, elle avait l'impression de quêter, on lui indiqua une rue également inconnue où elle devrait se rendre avant d'apercevoir la place de Verdun sur sa gauche, mais très à gauche.

De carrefour en boulevard et de boulevard en rue, elle déboucha sur la porte arrière de l'hôpital, au passage des ambulances. Elle s'engouffra sous le porche, sûre qu'on l'y attendait. Il n'y avait personne. Un chauffeur qu'elle devina assis dans une voiture abandonna un instant son journal pour lui dire qu'elle s'était trompée et que l'entrée des visiteurs se trouvait de l'autre côté. Elle ne pouvait y accéder par l'intérieur, elle devait sortir, faire le tour. Par où ? Devant Tiffany qui hésitait, il lui rappela que les personnes étrangères au service étaient interdites dans la cour.

Il lui fallut contourner la haute bâtisse grise qu'elle eut tout le temps de regarder, avec ses fenêtres étroites, ses carreaux blanchis. Elle se tenait contre le mur, sûre, maintenant qu'elle le longeait, de trouver l'entrée. Lorsque le bâtiment fit un angle, elle tourna, marcha encore, et trouva la grande porte. De part et d'autre d'un guichet central, les autos entraient et sortaient. Devant une cage de verre, les gens faisaient la queue. Tiffany se mit au bout de la file.

Quand son tour arriva, elle demanda si elle pouvait voir Monsieur et Madame Désarmoise. Qui était l'entrant, Monsieur ou Madame ? Dans quel service le malade avait-il été admis ? A quelle heure ? Quel jour ? Tiffany ne pouvait pas répondre. Si elle ne savait pas, ce ne serait pas la dame du guichet qui pourrait le dire pour elle.

Derrière, la queue s'était allongée, grosse de gens qui avaient des choses précises à demander. Tiffany sentit une vague hostilité et comme elle ne bougeait pas, la dame lui dit d'aller s'asseoir, qu'elle s'occuperait d'elle plus tard. De toute façon ce n'était pas l'heure des visites, les malades déjeunaient. Elle la rappela pour lui demander son degré de parenté avec la malade. Tiffany trembla. Si de n'être qu'une petite-fille lui enlevait le droit de visite ?

Elle attendit infiniment, assise sur son banc. Elle vit passer des infirmières et des hommes de salle qui roulaient des fauteuils ou des civières vides. Des gens sortaient et entraient. Des gens qui parlaient, des visages livides et d'autres très rouges. Au début, il lui semblait que chacune de ces personnes venait à elle, elle avait mis son espoir en tous et en chacun. Ce ne fut que lorsque la préposée aux renseignements sortit de sa guérite qu'elle se souvint de Tiffany et interpellant la première infirmière qui passait : Tu as quelqu'un qui s'appelle... et là son regard interrogeait Tiffany. Tiffany qui s'était levée répondit Désarmoise. D.É.S.A.R.M.O.I.S.E. Tu as une Désarmoise aux femmes ? Il n'y en avait pas.

L'interrogatoire recommença. Est-ce qu'elle savait ce qu'avait sa grand-mère ? Elle était malade. Mais de quoi ? Des poumons ? Du cœur ? Du ventre ? De quoi ? Jamais cette maladie ne parut à Tiffany aussi mystérieuse que ce jour où il fallait retrouver sa grand-mère. Elle avait bien un indice, mais pouvait-elle le révéler ici, après l'avoir tu au médecin, au Colonel, à tous ? Le sang, dit-elle. Elle est malade du sang. Tu devrais voir en chirurgie, conseilla la portière. En chirurgie ou en gastro, releva l'autre. Elle demanda à Tiffany de la suivre.

C'était une course exténuante. Des seuils que l'on ne devait pas franchir, des quartiers que l'on ne pouvait traverser. Des portes ouvertes sur des lits occupés sur lesquels Tiffany jetait un coup d'œil. Vieillards pâles retenus à un transparent goutte-à-goutte. Madame Désarmoise n'était pas en chirurgie. Madame Désarmoise n'était en neurologie ni en pneumo-phtisiologie, ni... Es-tu sûre qu'elle a été amenée à l'hôpital ? Oui. Non.

Le voyage se termina au seuil du service Dominique-Larrey. Entrée interdite. Madame Désarmoise se trouvait en réanimation. Pas de visite. L'infirmière qui parla à Tiffany ne savait pas grand-chose, elle venait de prendre son travail. Le Colonel Désarmoise était reparti. Elle rassura Tiffany, sa grand-mère ne pouvait être mieux qu'ici. Elle était dans de bonnes mains.

*

En marchant vers la Pension Montmorency, Tiffany se répétait les derniers mots de l'infirmière. Comme elle avait été gentille ! Elle aurait dû l'embrasser et regrettait de ne pas l'avoir fait. Elle avait été si gentille. La douceur de l'air la surprit, l'éclat du soleil aussi. Elle ne savait plus où elle était, elle avait oublié l'odeur, la couleur du jour, la saison, le mois, le jour, l'heure. Elle reprit conscience d'elle-même au milieu de toutes ces choses qui revivaient. Devant les pousses tendres des marronniers, elle aurait pu danser. Et elle se mit à pleurer. Le temps, le ciel, la ville, plus rien n'était tolérable. Elle en voulait aux arbres, aux gens, aux voitures, à l'hôpital derrière elle qui barrait l'horizon. Elle ne pouvait être mieux que là, pleurait Tiffany, entre leurs bonnes mains, elle sanglotait. Pourquoi n'être pas restée, pourquoi n'avoir pas attendu et forcé le barrage, pourquoi avoir remercié sans savoir ? Elle se révoltait contre l'infirmière et le mur de sa gentillesse.

Elle se retrouva devant la Pension Montmorency. Son regard embrassait sur la façade chacune des lettres de l'Hôtel du Gave. Il n'y avait plus qu'à pousser la porte, à se livrer. Mademoiselle Pauline était occupée. Tiffany la fit appeler. Elle ne voulait plus attendre, elle ne voulait pas s'asseoir. Mademoiselle Pauline, vite, tout de suite. En apercevant Tiffany, la vieille fille poussa un cri de surprise : Comment, Tiffani-e, mais en l'honneur de quoi, je vous pri-e ? Une éternité ! Tiffany se jeta dans ses bras. Elle n'aimait pas Mademoiselle Pauline, et pourtant dans ce moment d'effroyable solitude, les bras de Mademoiselle Pauline n'avaient pas de prix. Les paroles de Mademoiselle Pauline, les lumières de la Pension, et chaque pensionnaire qui, en passant, regardait de leur côté, tout cela était bon.

Mademoiselle Pauline voulait qu'on lui raconte tout, depuis le début, depuis le jour où ils ne lui avaient plus fait signe. Les derniers événements, très bien, mais avant ? Comment avaient-ils vécu ? Que feraient-ils plus tard ? L'instant présent, Madame Désarmoise en réanimation l'intéressait beaucoup moins. Mademoiselle Pauline tenait à démêler tous les fils avant de rendre sa justice. En l'occurrence, elle accusait Madame Désarmoise. Son entêtement à vouloir vivre à la campagne l'avait tuée. Encouragée en cela par la faiblesse insigne du Colonel et, il faut le dire, par l'obstination égoïste de Tiffany. Elle s'était tuée, mais ils l'avaient bien voulu.

Tiffany regrettait. Elle faisait un acte de contrition qui était un acte de renoncement à la Propriété. Elle disait comme l'autre. Si Madame Désarmoise en réchappait, ils s'installeraient à la Pension Montmorency... et pour que ses serments parussent plus vrais, elle disait l'horreur de sa nuit solitaire, le massacre de la tempête. Elle voulait que Mademoiselle Pauline les reprît. Elle désirait n'avoir pas vécu tout ce temps.

Mademoiselle Pauline, magnanime, la consolait. La reddition de Tiffany la comblait d'importance. Tout n'était pas perdu. Après l'avoir tuée, elle ressuscitait Madame Désarmoise. Elle téléphonerait au docteur de son établissement pour qu'il prît des renseignements. Elle irait chercher le Colonel et l'installerait ici, tout le temps de la maladie de sa femme. Elle télégraphierait à Matilde. Et pour l'instant, elle raccompagnerait Tiffany chez les Sanguinaires, ce serait mieux pour elle.

Le jour déclinait lorsqu'elles arrivèrent au

portail. La sœur tourière, probablement au Salut, mit longtemps à venir et pendant quelques minutes, Tiffany craignit de ne pouvoir entrer. Elle désirait si fort à ce moment revenir parmi les siennes! Sur le pas de la porte, il y eut des exclamations et un long conciliabule. Mademoiselle Pauline demandait la Supérieure. Ce fut Madame de Sainte Chantal qui entra, longue et mince, dans le parloir. Son regard interrogeait Tiffany. Mademoiselle Pauline parla, elle racontait avec mille détails l'aventure, le drame de Tiffany, celui de cette famille, le sien. Pendant tout le discours, les yeux de Madame de Sainte Chantal n'avaient pas quitté le visage de Tiffany. Elle avait des yeux sombres dans lesquels la pupille noire se perdait. Elle prit la main de Tiffany et tout le long du couloir qui conduisait au réfectoire, elle la lui tint comme à une toute petite fille.

*

Les vacances de Pâques avaient vidé la Pension. Même les permanentes avaient trouvé des correspondants pour sortir un jour ou deux. En dehors des religieuses, il n'y avait personne. Cela donnait à la Pension une gravité de couvent. Plus de bruit, plus de vie. Dans les couloirs sombres, il ne passait que les Dames noires. Lorsqu'elles allaient en groupe à la chapelle, la nuit emplissait le corridor, et lorsqu'elles étaient passées, c'était comme si le jour revenait.

Ce fut l'infirmerie que l'on choisit pour que

Tiffany attendît. La pièce était située très haut, dans les arbres. Une sœur lui apportait un plateau. Sur une serviette blanche, elle disposait des couverts. Tiffany pouvait manger. La sœur s'exprimait par gestes, elle ne comprenait pas le français. Tiffany la regardait, elle ne savait pas assez l'espagnol.

Il n'y avait rien à faire qu'attendre. Et l'attente qui lui avait toujours été extrêmement douloureuse se teinta entre quatre murs d'espoir, de quiétude. Elle y gagnait des heures. Le front contre la vitre, Tiffany admirait le parc qui s'épanouissait. En étirant le cou, elle pouvait apercevoir à droite le portail de l'entrée avec l'aile du gardiennage. Quand la cloche sonnait, elle guettait la sœur tourière. Tout alertée, Tiffany craignait de voir entrer Mademoiselle Pauline. Mais ce n'était rien, un livreur, le facteur. Tiffany s'asseyait sur son lit et attendait que la cloche se remît à sonner.

Madame de Sainte Chantal venait la chercher pour chaque office, messe du matin, angélus, salut et prière du soir. Le temps de Dieu réintégrait le temps des hommes, ou plutôt le temps des hommes était devenu celui de Dieu. C'était un grand soulagement de voir paraître Madame de Sainte Chantal. Elles ne se disaient pas deux mots, mais souvent la Dame lui prenait la main pour la conduire jusqu'à la chapelle où elle la faisait passer devant elle, la poussant par les épaules devant l'autel.

La prière qui n'était plus dite par des enfants ruisselait comme une lumière, de toutes ces voix détachées des corps. C'était la voix de l'Église, une immense voix féminine qui n'était celle d'aucun être en particulier. Tiffany restait muette, elle écoutait le long chant qui ployait sous les voûtes. Un moment unique et radieux où tout était bénéfique.

Madame de Sainte Chantal la reconduisait à l'infirmerie. Voulait-elle prier encore ? Pour la garder encore un peu et aussi pour prolonger la magie de la chapelle, Tiffany acceptait. Mais ce qui s'élevait, ce n'était que sa voix, à elle, Tiffany, et la voix de Madame de Sainte Chantal qu'elle connaissait. Elle retombait sur terre. Au nom de Madame Désarmoise pour laquelle Madame de Sainte Chantal demandait la grâce du ciel, c'était toute l'horreur de sa situation qui lui apparaissait. Tiffany sanglotait. Madame de Sainte Chantal forçait les larmes. Seigneur, ayez pitié de nous. Christ, ayez pitié de nous. Seigneur, ayez pitié de nous. Père céleste qui êtes Dieu, ayez pitié de nous. Dieu le fils, Rédempteur du monde, ayez pitié de nous. Esprit-Saint, qui êtes un seul Dieu, ayez pitié de nous. Ayez pitié de nous. Ayez pitié. Pitié. Pitié. Pitié.

Ce soir-là, le troisième, Madame de Sainte Chantal lui dit de sa voix brève : Soyez courageuse. Tiffany ne comprit pas. Seule la cloche qui battait avec entêtement l'inquiétait. Dong, dong, faisait la cloche, pendant que Tiffany près de Madame de Sainte Chantal poursuivait son chemin. Dans le chœur, toutes les Dames avaient baissé leur voile. Au milieu, un prie-Dieu vide, le sien. La cloche battait plus fort au centre de la chapelle.

Elles entonnèrent : *Requiem œternam, dona eis, domine.* Tiffany se cabra sur sa chaise, mais déjà le chant qui enflait s'était substitué au lancinant battement de la cloche. Tiffany cria. Personne n'entendit. Seule une main parfaite et blanche sortit de dessous un voile et se referma sur son poignet, le serrant à lui faire mal. Tiffany continua : ... *Et lux perpetua luceat ea.*

II

Dans les combles où l'on entreposait le linge sale, s'endormaient les voyages. De l'autre côté de la cloison où pendaient les sacs de toile blanche gonflés du petit et du gros linge, régnait un mausolée de malles et de valises. Dans la lumière claire du printemps, lorsque les valises des pensionnaires avaient été retirées, restaient les malles des religieuses, qui ne partiraient plus. De lourdes malles-cabines, des malles-portemanteaux qui s'entrouvraient sur des dedans tendres et fleuris, de petits tiroirs, des cintres tapissés de chintz, des histoires luxueuses et raffinées. Sur les étiquettes, on lisait, pâlis, de ravissants prénoms et des noms à particules, qui n'avaient pas plus de vie que les inscriptions des cimetières.

Lorsqu'elle allait porter le linge sale, Tiffany s'attardait à regarder le jour qui filtrait à travers la vitre ternie, et au centre de la lumière, réchauffée, sentait couler sur elle une manne divine. Parfois elle entendait venir du bas les sons interminablement répétés d'une élève qui faisait ses gammes. Et la petite musique, grêle dans le grenier tiède, l'atteignait au cœur de sa nostalgie. Au grenier, halte à l'intérieur d'elle-même, semaine après semaine, Tiffany venait constater qu'elle vivait encore, autrement que dans la succession des gestes. Ce n'était pas une écrasante évidence, un sentiment si énorme qu'il emportait. Non, elle prêtait l'oreille à un bruit timide, un appel au fond de l'être, un signe des profondeurs, un éboulement de pierraille, une voix qui criait faiblement pour qu'on la délivrât. Tiffany, recueillie, sentait dans ses entrailles ce qui n'était plus elle mais qui participait d'elle, ce bruit d'une vie étrangère.

Ce regret ému qu'elle trouvait au fond de son cœur lui procurait le plaisir d'une reconnaissance intime. Elle n'était plus que ce flottement de l'âme, cette sensibilité alertée par le chagrin, elle était à l'écoute de ce qui s'effaçait, l'écho d'un bonheur anéanti, l'écho si loin, trahi par l'écho de toutes les autres douleurs qu'elle avait, en leur temps, crues éternelles.

Forcément, la douleur s'atténuerait jusqu'à disparaître, sinon totalement, du moins dans sa phase aiguë, jusqu'à n'être que l'idée de la douleur qu'elle avait ressentie. Que le désespoir recouvrît la mort et la supprimât lui semblait naturel, tant la violence et la force de sa passion étaient grandes. Il n'y avait eu place dans son cœur bouleversé, dans sa gorge haletante, dans ses yeux qui pleuraient, que pour le visage aimé. Il ne pouvait y rester que sa révolte et cette colère immense qui chaque fois réclamait sa mort.

L'image de la violence se substituait à sa réalité et voilà que dans ce grenier, elle ne se souvenait plus que d'avoir eu, un jour, un grand malheur.

Dans ce jour blond qui repoussait la peur, elle sentait sa poitrine se soulever à intervalles réguliers comme avant le sommeil. S'endormir ici, au milieu des malles, être oubliée, ne plus exister, attendre, vide de tout et vide d'elle-même, puisque l'autre n'existait plus. La tentation était forte de ne plus jamais faire surface, de rester avec les Dames Sanguinaires, Dame parmi les Dames, avec à la bouche une prière, dans une foi qui oscillerait entre sa grand-mère et Dieu dans un perpétuel balancement, l'un renvoyant à l'autre, à jamais.

La vocation ? Elle n'en était ni étonnée ni remuée, plutôt apaisée, résignée à l'appel. Si elle ne pénétrait pas Dieu, elle comprenait sa grand-mère. Si elle ne percevait pas le mystère de la foi, elle connaissait la logique du couvent, de ses grands espaces silencieux, avec ses rythmes comme une respiration très calme qui peu à peu s'était emparée de son corps, se substituant au souffle affolé de sa grand-mère. Les cloches, les sonnettes, les mains jointes, les fronts baissés, les prières, étaient un ordre immanent auquel elle voulait se livrer sans retenue. Alors délivrée d'elle-même, elle connaîtrait l'essentiel.

*

Je confesse à Dieu, le Père tout-puissant, créateur du ciel et de la terre et à Jésus, son fils unique, notre Sauveur... Le prêtre s'inclinait davantage vers Tiffany, tant sa voix était faible. Elle fermait les yeux, le noir absolu l'engloutissait. Oui, oui, disait le prêtre. Ce n'était pas tant ses péchés qu'elle essayait de rapporter que cet enlacement mystérieux qui s'était fait en elle-même. Oui, oui, pour l'aider dans cette mise au monde. Elle partageait enfin. Les cours de récréation qu'elle avait arpentées solitaire, les conversations qui s'éteignaient quand elle entrait, l'amitié impossible, il la payait de tout. Oui, oui, disait la voix derrière la grille. Oui, doucement pour ne pas l'effaroucher, oui respectueusement, oui douloureusement. Le prêtre lui offrait une présence totale. Elle croyait en Dieu.

Plus de refuge, Dieu était partout, tout était en lui. En lui faisant l'offrande de sa douleur, Tiffany avait été emportée par l'immense volonté de Dieu, elle avait quitté la terre. Rayée du monde, elle n'existait plus. Et la soif qu'elle portait en elle était non seulement une réponse au projet de Dieu, mais un désir neuf, absolu, unique, qu'elle avait de lui. Elle allait le chercher à genoux dans le silence de la chapelle. Ses mains sur son visage étaient froides et claires. Il y avait trop de rose entre ses paupières, trop de rose dans ses doigts sous la lumière. Elle aurait voulu rabattre jusqu'à ses pieds le long voile des Dames. Ruisselante et noire, elle aurait mieux entendu l'appel.

Le corollaire de cet état mystique fut une extrême application dans son travail scolaire.

Elle ne s'y intéressait pas davantage, mais elle découvrit les bienfaits du par cœur. Tiffany se mit à tout apprendre par cœur, et pas seulement les résumés, les dates ou les théorèmes, non, pour tout cela elle éprouvait toujours du dégoût, mais ce qui ne servait à rien, ce qui était long et qui n'avait pas de sens. Et si par hasard il y en avait un, elle se dépêchait de le brouiller, en apprenant mot à mot, ligne à ligne, toute une leçon de sciences, d'histoire ou de géographie. Elle commençait par le début et ne s'arrêtait que trois, quatre, cinq pages plus loin, à la fin. Elle ne savait pas ce qu'elle avait appris.

Par la succession des mots qui contraignaient le corps et libéraient l'esprit, le par cœur se rapprochait de la prière. Tiffany apprenait en rêvant. Dès qu'elle sentait le danger d'une pensée trop précise, elle revenait à la leçon, prononçait avec plus d'application une phrase ou reprenait tout par le début. Cette nouvelle façon de procéder lui permettait de se cacher derrière un livre, partout où elle devait paraître, en récréation, au réfectoire et même au dortoir. Elle acquit une solide réputation de bûcheuse ainsi que la commisération des Professeurs qui disaient qu'elle faisait tout ce qu'elle pouvait.

Seule, Madame de Sainte Chantal n'était pas dupe. Qu'est-ce qui n'allait pas ? L'écriture, cet air ailleurs, et puis voyez, ce tablier ouvert. La Dame entreprenait de le boutonner de bas en haut jusque sous le menton, ensuite elle faisait de ses bras le tour de la taille de Tiffany pour chercher la ceinture qui pendait. Un bouton manquait, il faudrait le recoudre. Elle nouait la ceinture : Comme vous êtes maigre. Lui dirait-elle son grand secret ? A l'oreille peut-être ? Le lui dirait-elle à elle la première ? Le regard de Madame de Sainte Chantal était radieux, la joie sur sa bouche.

*

Tiffany sentait la douleur lui arracher, à petits coups, la poitrine. Une bête la léchait, là, au cœur, mais la sensation, au lieu d'être humide et sèche, râpeuse et douce, lui parvenait tout à la fois brutale et aiguë. Elle ne pouvait s'en éveiller et la supportait immobile, liée par le sommeil, paralysée par le poids de la nuit. Endormie et en alerte, elle écoutait son mal, le ressentant absolument, jusqu'à son terme.

Tiffany cherchait au fond de son corps, dans la souffrance qui s'allumait en elle, le vacillement de la vie de la petite bête d'autrefois. Elle sentait la langue active qui passait et repassait sur la pointe du cœur dans un délicat mouvement arrondi. Elle reconnaissait les papilles qui lui arrachaient la chair. Elle se surprenait à la bercer d'avant en arrière jusqu'à ce que sa tête touchât le mur, un petit froid sur la raie qui partageait ses cheveux, et plus fort, plus fort, le choc de son crâne contre le mur la réveillait. Le bruit provoquait dans le dortoir toute une série de grognements et dans l'alcôve la Dame allumait la lampe. Tiffany voyait la femme se redresser dans son lit : Qu'est-ce que c'est ? Elle attendait un peu et puis elle éteignait.

La douleur se débandait. Elle était folle de rage et se débattait dans tout le corps de Tiffany, elle lui étreignait la gorge et s'y agrippait de ses pattes griffues, elle pressait, serrait, raclait. Elle descendait dans le ventre et courait en rond, si vite que Tiffany en avait le tournis. Sa peau se décollait et la bête furieuse faisait tant de tapage que Tiffany ramenait ses couvertures qu'elle pressait en boule sur son ventre. Mais la douleur fuyait plus bas dans les cuisses tendues et dures, dans les pieds bleuis et froids.

Tiffany guettait. Elle s'était déjà retournée deux fois pour écraser son mal. Elle l'étouffait à plat ventre, le visage dans l'oreiller, les jambes droites, les orteils enfoncés dans le matelas, les bras allongés, paumes retournées. La bête était dressée, elle alla se nicher dans l'angle que faisait la tête avec le traversin et sur le cou tendu, elle donnait une sérénade sifflante. Ah ! qu'elle était effilée et tranchante, la douleur d'acier, quand elle pesait sur le cou, à moins que par un subtil renversement ce ne fût le cou qui s'appuyât sur elle. Retiens ton cou, Tiffany, ou je coupe, je tranche. Retiens ton souffle, ne respire plus, n'avale plus ta salive ! Et la salive affluait dans la bouche, liquide, abondante. A bout de souffle, Tiffany avalait, alors la glotte dans un mouvement de va-et-vient passait deux fois sur la lame.

Elle ne devait pas se retourner encore, c'était trop tôt. Attendre que l'une des pensionnaires bougeât et calquer exactement le mouvement de son corps sur l'autre si calme. Tiffany aurait pu bouger seule mais elle ne savait plus ce qui était naturel, ni trop brusque, ni trop lent, le rythme d'un corps dans le sommeil. Elle ne connaissait que les gestes furtifs de la crainte, le chuintement de l'angoisse qui fait grincer les lits, le martèlement de la terreur et puis au sommet la peur que la Dame qui était dans l'alcôve ne découvrît qu'elle avait peur. La peur de la peur refermait sa boucle terrible.

*

Venu à bout d'une course épuisante, le fantôme blanc s'arrêta à son lit. A l'instant même, elle reconnut, intacte, précise, sa terreur d'enfant. Elle le savait depuis le premier jour, c'est elle que la chose cherchait. Elle était dans le même dortoir, seules ses jambes étaient plus longues dans le lit. Après tant d'années, le fantôme l'avait trouvée. Petite, elle s'était sentie menacée, grande, sa peur se muait en stupeur. La chose immonde était là. Tiffany n'avait même plus la force de clore ses yeux comme si ses cils, en battant, eussent pu bruire et bouleverser ainsi l'ordre de l'horreur et la précipiter. Après une brève hésitation, un hoquet, la chose remonta doucement le long du lit et se pencha juste au-dessus de sa figure.

Tiffany reçut au fond de son iris le visage libéré de ses bandelettes, et les longs cheveux, comme des anneaux, lui coulèrent dans le cou. A

214

quelques centimètres de sa bouche elle sentit le souffle de ce qui n'était pas un spectre, mais Madame de Sainte Chantal... Ainsi comme le mourant reconnaît pour la mort l'arbre qu'il vient de percuter, ou l'instrument dont on va l'inciser et qui est rassuré, parce qu'il ne s'agit que d'un arbre, d'un bistouri, Tiffany aurait pu dire à la Dame : C'est vous, ce n'est que vous, vous m'avez fait peur, lui donnant ce faisant le terrible espoir que parce que c'était elle, elle n'avait pas peur, ce qui n'était pas vrai ; ou pire encore, que parce que c'était elle, elle était heureuse ou apaisée.

Tiffany ne dit rien. Une terreur en avait remplacé une autre. Et parce qu'elle s'était épuisée à calmer la première dans des nuits de veille, elle eut peur et davantage de ce visage dévoilé devant elle, de cette complicité qu'elle refusait. Le secret la plongerait dans un abîme dont elle ne reviendrait pas. Tu en sais trop ! Ce qu'on lui découvrait ce soir entraînerait la révélation de ce qu'on lui avait caché toutes les autres nuits. Elle glissait.

Ses yeux glacés sentaient les yeux brûlants qui la dévisageaient et la voix très basse, presque rauque, lui demanda : Vous ne dormez pas ? Non, répondit Tiffany dans un souffle. Elle imaginait une tisane, un bonbon, quelque chose de sucré pour tromper le danger. Son silence éveillé avait donc une telle violence que la Dame en avait été alertée ? Ce ne serait qu'un accident, rien d'autre et déjà elle se consolait d'être prise pour souffrante, traitée en malade, conduite à l'infirmerie peut-être. La Dame recommença à parler : Vous ne dormez jamais, ma chérie ?

Pourquoi ne dormez-vous plus ? Je vois vos yeux, j'entends votre souffle, ma chérie. Je n'osais pas avant ce soir... Tiffany ne voulait rien écouter. Fermer les yeux et laisser la voix dévider ses phrases molles, des prières, des chapelets de prières pour elle, Tiffany, plus grande que la Dame, plus grande que Dieu pour la Dame. Ouvrir les yeux pour arrêter les gestes que les paupières closes laisseraient ébaucher. Entendre peut-être mais se laisser toucher, jamais. Elle eut un mouvement de recul. De quoi avez-vous peur, Tiffany ? Et ces paroles étaient mâles. De quoi a-t-on peur ? Qui a peur ? Peur de qui ? Pourquoi avoir peur ? Elle est bonne celle-là, je fais peur, moi ? On est obligé de répondre que l'on n'a pas peur et de rire de ce que l'on crève. Mais je n'ai pas peur ! Pour qui me prend-on ! Avouer sa peur, c'est dire le danger, accepter, le faire naître. Je n'ai pas peur, je n'ai pas peur, répétait faiblement Tiffany qui grelottait d'horreur.

Madame de Sainte Chantal remonta la couverture, bien haut, et bordant Tiffany, la berça de paroles maternelles qui, parce qu'elles étaient caricature, étaient monstrueuses. Qu'importait qu'on lui dise aujourd'hui, après toutes ces années, alors qu'elle approchait de ses quatorze ans, ce qu'elle aurait supplié d'entendre quand elle en avait neuf, et que pour l'éduquer on ne lui avait jamais dit. Dames enfermées dans leurs voiles, si hautes, si loin des enfants étendues.

Voilà, bien au chaud, voilà bien couverte, voilà on va dormir. La main caressait ses joues. Un baiser sur les paupières pour les fermer. Un baiser sur l'œil gauche, un baiser sur l'œil droit. Le drap en mentonnière.

*

Tiffany n'avait pas quatorze ans et en une nuit l'horreur de l'amour lui avait été révélée dans une sorte de viol de l'être intérieur. On l'avait protégée d'un monde réputé cruel pour la livrer au sens même de ce monde. Il ne s'était rien passé, rien qui méritât d'être dénoncé ou simplement répété. Une femme, une nuit, était venue lui porter secours. Elle s'était assise sur le bord de son lit et lui avait dit des mots doux et rassurants, maternels. Et maternelles avaient été les caresses sur son visage, sur sa bouche, dans le creux de son cou...

Et si son attitude avait été maladroite, pouvait-on refuser à cette femme qui en avait fait le sacrifice les paroles et les gestes de la maternité, ses seuls gestes d'amour ? Et Tiffany, sans mère, sans grand-mère, pourquoi n'acceptait-elle pas cet appel et ne s'y rendait-elle pas avec gratitude ? Mimer, elle la femme sans enfant, et elle l'enfant sans mère, ce bonheur à deux, donner à l'autre pour se donner à soi, vivre d'illusion avec des mots faux et émouvants. Où commençait la mère, où finissait l'enfant ? A Dieu.

Tiffany se réveilla, saoule et brisée, l'amertume à la bouche, en un immense découragement enflé de l'appréhension de la rencontre avec l'autre, avec le visage secret de l'autre, avec l'âme cachée de l'autre. Madame de Sainte Chantal attendait devant la table du réfectoire, les mains en prière. Quand Tiffany se fut assise, elle leva les yeux et la jeune fille y vit tant d'attendrissement et de bonheur, qu'elle ressentit comme un affront les gestes et les mots de la nuit. Elle fixa la religieuse d'un regard clair et dur. Le dégoût lui mouillait les mains, le front, les joues. Elle avait envie de vomir ou de s'évanouir, prise d'un malaise de tout l'être qui tenait à la présence de la femme, au regard tendre en face d'elle.

Tiffany apprit combien il est facile de rompre. Il n'est pas besoin de mots, une attitude jugée offensante et qui n'est qu'indifférence ou repli sur soi et le processus est irrésistiblement engagé. Il s'en fallait d'un rien, une absence, un accident et c'en serait fait pour toujours. Tiffany ne répondit pas à son sourire et les lèvres de Madame de Sainte Chantal s'amincirent. Elle montra moins d'ardeur que d'habitude, où elle n'en montrait pas beaucoup, à la leçon qui l'ennuyait, et dans la cour de récréation elle ne se mêla pas à celles qui entouraient Madame de Sainte Chantal pour parler du brevet.

Madame de Sainte Chantal fut humiliée, à moins, et Tiffany n'y songea pas, qu'elle ne fût véritablement bouleversée et blessée, mourante du refus de l'enfant. Elle lui retira son amour, ce qui est accorder sa haine. Elle le fit avec la conscience tranquille de ceux qui prennent leur amour pour une urgence qu'il est impossible de ne pas secourir. S'étant donné le droit d'aimer, elle s'accorda celui de n'aimer plus. Parce qu'elle avait aimé Tiffany, parce qu'elle l'aimait encore, elle prit des sanctions, contre elle qui aimait et contre l'enfant qui n'aimait pas. Jusqu'où souffrirait-elle ? Comment souffrirait l'autre ? Elle ne savait pas. Elle punissait, elle purifiait.

Comment les sentiments d'un seul peuvent-ils bouleverser le monde où existent les autres, tous les autres également éprouvants et éprouvés ? Tiffany eut la révélation qu'être aimée était un enfer, et que l'amour que l'on ne partage pas c'est tout l'absurde d'un monde où l'irréel prend le pas sur la réalité qu'il submerge. Que ferait Tiffany ? Elle attendrait avec désespoir que l'autre ne l'aime plus, ne la déteste plus, l'oublie enfin.

*

Lasse de fendre des pistils ou de regarder se dissoudre dans un flacon les filaments blanchâtres d'un reste de grenouille, le Professeur de sciences naturelles offrit à ses élèves une séance de dissection. Elle n'avait pas choisi pour ce faire un modeste escargot, une mince araignée, mais du gros, du beau : des cobayes. Elle les sortit d'un énorme paquet présenté comme un cadeau précieux : papier journal, boîte de fer, ouate, gaze. Au fond dormaient les cobayes qu'elle avait « préparés » avec force éther et chloroforme. Ils étaient chauds encore, tout alanguis de sommeil et de fraternité. Tirés de leur couche familiale, il fallut les « installer », c'est-à-dire qu'on les cloua sur des planchettes de bois. Il était curieux de voir ces fillettes empêtrées dans leur blouse et cette religieuse affairée procéder industriellement, les cobayes étant au nombre de sept — un pour deux —, à leurs crucifixions.

Sur ordre, il fallait pratiquer la première incision qui ouvrirait la peau, « coriace vous verrez ». Deuxièmement on écartait les chairs, puis on broyait les os, alors on trouverait des intestins, un foie, des poumons, des reins, et même avec de la chance des testicules, les ovaires des femelles étant beaucoup plus difficiles à observer. Les chairs cédaient mal sous le bistouri émoussé, mais on faisait aller, on déchirait un peu, impatient de voir les merveilles annoncées, du vif, pas les images rouge et bleu du livre, non, du relief, du kaléidoscopique. Comme c'est joli ! Comme cela fait vrai !

On ne leur avait pas dit qu'elles trouveraient aussi un cœur. Car sitôt la petite cage thoracique découpée et relevée, elles ne virent que lui, qui battait tout dressé, minuscule et turgescent, tout enflé de vie. A l'apogée du mouvement qui le tendait, il sortait de sa cavité, il sortait du corps. Il y eut des cris, on menaça de s'évanouir. La religieuse agitait un flacon vide, elle leur avait donné tout ce qu'il contenait ! On s'affolait, il fallait faire vite. Pourquoi ? Les tuer. Pourquoi ? Les balancer par la fenêtre. Morts, on jouait avec ; vivants, ils étaient horribles. Les empoi-

sonneuses réclamaient du curare. Les étouf-
feuses voulaient les étrangler. Les ébouillan-
teuses... Les calcineuses... Tiffany proposa qu'on
coupe le cœur. Elle suscita un dégoût général. Ça
jamais. C'était pourtant le plus sage, le Professeur le confirma : Sectionnons les cœurs. Les
élèves refusaient absolument. Arracher un cœur,
jamais ! Toucher à la vie, jamais ! Sur leurs sept
planchettes, les sept cobayes vivaient, les
entrailles défaites, les côtes ouvertes comme des
fenêtres, le cœur à nu. Tiffany dit qu'elle le
ferait. Elle trancha le premier cœur, du sang noir
l'éclaboussa.

Elle se sentait courageuse et réprouvée, différente des autres maintenant, incapable d'être
avec elles, près d'elles, ailleurs pour toujours. La
bête ne reviendrait plus... Elle resta dans la salle
de travaux pratiques pour nettoyer. Elle resta
longtemps, la récréation avait dû finir, un cours
commencer puis s'achever, elle était toujours là
près des cobayes qui resserviraient.

*

Lorsque la déception dicte ses gestes à l'amou-
reux, il devient le subtil détracteur de l'être
aimé, un double négatif, à l'ombre, dans un
reflet qui ne sourit plus. Madame de Sainte
Chantal occupait en face de Tiffany cette place
d'accusateur et brouillait dans le miroir l'image
de la jeune fille. Il n'y avait de place que pour un
affrontement latent. Elle ne provoquait pas
d'éclat, elle enfermait Tiffany dans le monde

irréductible de la haine et pour que cela ne ressemblât pas trop à l'amour, elle tentait parfois, mais délicatement, une pointe précise qui la meurtrissait. Elle savait lui faire mal de l'extérieur pour la voir souffrir à l'intérieur. Tiffany se débattait dans le champ clos d'un combat qu'elle prenait pour un refuge. Cette tactique inexorable révélait la parfaite connaissance de l'ennemi. Madame de Sainte Chantal ne se servait jamais que des armes que Tiffany lui offrait. Elle la connaissait sur le bout des doigts. Elle en savait les chiffres et la musique. Elle l'avait apprise à l'endroit et à l'envers, et maintenant, elle la récitait.

Tiffany sentait combien le système de la Pension, dont elle avait au fil des années assimilé les usages jusqu'à les oublier, devenait une machine infernale, maintenant que le regard de Madame de Sainte Chantal la désavouait. Que son tiroir fût mal tenu, mal tenu « à fond », pouvait-elle le nier ? Et le reste : le REY ouvert sur ses genoux, un bouton arraché, un ourlet défait, une porte qui battait, mille détails, des obstacles à vivre. Elle ne pouvait plus s'abstraire, être ailleurs, elle était tenue à la présence.

Dans le silence de la pièce vide, Tiffany regardait obstinément le bas de la porte. Elle devina à une certaine qualité du silence la présence de Madame de Sainte Chantal. La rainure au bas de la porte se remplit d'ombre, la Dame entra.

Figée dans l'embrasure, Madame de Sainte Chantal la toisait. Pourquoi avait-elle manqué la leçon ? Il y avait l'ordre des faits, ils n'étaient rien : une salle vide, une maîtresse, une élève et sur des planches à dissection sept petits cadavres. Il y avait l'ordre des idées, elles étaient insupportables : la tricherie se mêlait au mensonge, la politesse y subornait l'ordre et l'exactitude, la révolte se mêlait à l'orgueil, le péché à la forfaiture. La faute était grave, blâmable, impardonnable, inexcusable, irréparable. Il y avait l'ordre des sentiments, ils étaient horribles : l'amour déçu, la rancœur, la répulsion, l'exaspération, la révulsion. En dénonçant l'absence de Tiffany à son cours de littérature, Madame de Sainte Chantal hurlait son désespoir de n'être pas aimée, en se disculpant Tiffany criait son dégoût de l'être, un gouffre.

Les larmes aux yeux, frémissante, Madame de Sainte Chantal parlait. Elle disait pêle-mêle qu'elle s'était fait des illusions sur Tiffany, qu'elle lui avait reconnu jusque-là de la droiture, de l'honnêteté, qu'elle se rendait compte qu'on ne pouvait plus lui faire confiance. Elle disait que Tiffany se mettait en marge, que son attitude était délibérément hostile à son égard, qu'elle avait beaucoup changé, qu'elle subissait de mauvaises influences, qu'elle était sur le mauvais chemin, qu'en s'écartant d'elle, elle s'écartait de Dieu. Tiffany pleurait. La violence de cette morale lui faisait un trou dans le cœur. Elle se désirait bonne, elle s'était voulue insignifiante et normale, on lui découvrait qu'elle avait creusé sa route en dehors de la voie étroite, celle qui va là, ni là, ni là, et Madame de Sainte Chantal indiquait la direction du tranchant de la main. Au fond d'elle-même, Tiffany avait mal, elle se sentait mauvaise.

Les larmes de Tiffany attendrissaient la religieuse en même temps qu'elles la fortifiaient dans sa péroraison qui s'appuyait moins sur les faits que sur le sentiment de contrition que les pleurs dévoilaient. Elle menait son combat, jouant de la voix et du verbe, sûre de la victoire. L'enfant pleurait à coups redoublés. Elle modulait ses envolées lorsqu'il y avait trop de sanglots, attisant ses gestes lorsque la peine semblait s'apaiser. Jamais Madame de Sainte Chantal n'aima autant Tiffany à cet instant où maîtresse de ce corps qu'elle secouait de sanglots, et parce qu'elle sentait ici son unique pouvoir, elle ne pouvait s'empêcher de continuer bien au-delà qu'elle ne l'eût voulu cette scène de désespoir. Mais comment s'empêcher d'être là, dominant l'enfant, emportée par ses mots et par la rigueur absolue de ses belles idées, faisant à la fois le mal et le bien ?

Pour que cela cessât, Tiffany devait fuir. Madame de Sainte Chantal barrait la porte. Elle se jeta dans les bras de la religieuse. Et l'autre la reçut un instant comme un cadeau inespéré, un bonheur parfait, ne doutant pas qu'elle l'eut ramenée dans la bonne direction, celle de son amour. Tiffany ne fit que rebondir sur le torse noir et lorsque les bras l'enserrèrent, elle se débattit. Que faisait-elle ? Elle n'en avait pas conscience, elle frappait, mordait, griffait, empoignait le voile fragile, tirait, déchirait. Elle ne voulait plus de ces chantages, de ces amours qui portent malheur.

*

Retourner dans la Propriété où ELLE n'était plus. Opposer la fidélité à la mort. Faire de la maison l'objet de son culte. LUI accorder par l'intercession du ciel et de la terre la vie éternelle. Tiffany imaginait une existence qui la ressusciterait à chaque instant. Elle serait gardienne des souvenirs. Pas seulement de quelques images figées, mais de la vie. Elle ferait face, serait sur tous les fronts, passerait les étages en revue, le parc et le jardin. Partout où elle surgirait, Madame Désarmoise renaîtrait. Et pour que sa présence ne fût pas aussitôt engloutie, elle passerait plusieurs fois. Tiffany dans la maison serait le seul fantôme de sa grand-mère.

Et dire qu'elle avait failli la perdre en Dieu, ne l'aborder qu'à travers la prière, avec des mots tout faits qui ne lui ressemblaient pas. Elle avait même un peu oublié. Heureusement, la Propriété avait gardé son empreinte, elle l'y retrouverait tout entière dans la sécurité de ses limites. Elle pensait à ce qu'aurait été sa tâche si sa grand-mère avait été voyageuse, si elle s'était encombrée d'une trop grande famille, si elle avait eu des amis. Madame Désarmoise, protégée par la Propriété, coulant au fond de sa maladie, paralysée, muette et sourde, était un fardeau bien léger. Tiffany l'eût préférée plus lourde, infinie

225

comme le désert ou la mer. Elle y serait morte de soif.

Là-bas, elle endurerait la vieillesse. Dans le bureau, sur une dentelle en pièces, le petit berger de bronze continuerait de lever la jambe. Sur l'accoudoir de son fauteuil où elle posait la main, l'usure argentée de ses doigts. Au salon le tapis perdrait ses poils et la soie des fauteuils crèverait par endroits. Toutes ces glaces ternies, tous ces accrocs de peinture, tous ces draps qui se déchireraient et l'herbe qui envahirait l'allée, et les zinnias dégénérés de la banquette et la vigne vierge qui fermerait l'un après l'autre les yeux de la maison. La mort au bout.

Il y aurait des règles pour chaque geste, une place pour chaque objet. Douze pas sur la gauche, quinze sur la droite. Un devant, trois derrière. Passer par là, revenir par ici. Elle imaginait son grand-père en comparse ravi et reconnaissant, tout heureux de revivre par elle ce qu'il avait vécu, prolongé encore un peu grâce au café servi dans les tasses de porcelaine marquées du chiffre noir, en sursis parce qu'il mangerait les mêmes choses, comme avant, parce que la maison garderait le même rythme. Elle serait en réanimation.

Elle pensait au Colonel Désarmoise. Parce qu'il avait été son témoin, elle se sentait plus proche de lui qu'elle ne l'avait jamais été. Elle saurait dans ses yeux si elle se trompait, si elle innovait. Ils seraient presque heureux, face à face, s'interrogeant pour la respecter toujours plus dans une éternité de gestes. Le découragement la prenait. Elle n'y arriverait jamais. La possession la tuait.

Elle n'avait qu'Elle au monde. Elle L'avait aimée par-dessus tout, et il ne lui restait rien. Qui lui donnerait jamais l'image de sa vie, l'originalité d'un geste, celui d'aujourd'hui si semblable à celui d'hier et si différent ! Le car n'allait pas assez vite. Elle voulait revenir au plus tôt, prendre près des objets la plus juste mesure, faire taire les voix, rappeler son silence. Quel héritage !

Dans le tournant du chemin de fer, l'épaule de Mademoiselle Pauline heurta légèrement la sienne. Pour la première fois Tiffany ne regarda pas la maison, elle guettait dans l'angle opposé, sur la droite, le mur du cimetière. Elle ne savait pas bien le situer encore, elle crut l'avoir dépassé et puis il apparut dans la vitre aussi précis et net que la tour autrefois. Elle étouffa un sanglot.

III

Dans l'allée, la main en visière au-dessus des yeux, Mademoiselle Pauline examinait sur la colline comme stratifiée par des alluvions successives le jardin potager et les arbres fruitiers, les pommiers, les pruniers, les noisetiers. Tiffany l'encourageait à venir voir. La vue, là-haut, était superbe. Elle l'appâtait. A chaque niveau ce qu'elle verrait serait différent, elle lui vantait la vue des pommiers juste à la cime des arbres, celle des pruniers qui portait jusqu'à la rivière, et celle des noisetiers, face aux montagnes.

Visiblement, Mademoiselle Pauline en avait assez. De la Propriété, les montagnes avaient un je-ne-sais-quoi de chaotique. Elle ne les reconnaissait pas, elles étaient trop près. Tout s'emmêlait dans sa tête et l'idée de traverser la maigre prairie où la pierre affleurait par endroits, pour voir des arbres cachectiques, boursouflés de gui, la renforçait dans l'idée qu'elle n'aimait pas la campagne. Dans l'allée, elle résistait, les pieds au sec sur le gravier, elle dénonçait l'inclinaison menaçante d'un tronc, la pourriture d'une branche. Elle courait se mettre à l'abri.

Une clôture de fil de fer enserrait la fontaine, les vaches avaient été tentées d'y boire. L'eau coulait dans les sillons dévastés de la cressonnière, un jardin à canards. Depuis quand le chemin des palombières s'était-il couvert de ronces ? Depuis quand la porte du jardin était-elle condamnée ? Derrière la haie hirsute, elles tentaient de distinguer les framboisiers et les groseilliers. Sur un talus herbu, un artichaut unique offrait sa fleur bleue. De l'autre côté de la colline, la fumée de la briqueterie. Tout cela était plus grave qu'on ne le pensait. Pollution.

Alors ? Alors, c'était catastrophique ! Ils s'étaient fait rouler comme dans un bois. Et le marécage au bord de la rivière ? Peut-être en demandant aux eaux et forêts de reboiser la colline et en changeant la polyculture — comme le réclamait le fermier — en élevage semi-industriel de veaux pourrait-on sauver les meubles. Elle savait ce qu'elle disait, Mademoiselle Pauline. N'avait-elle pas mis vingt ans à faire d'un Hôtel du Gave une Pension Montmorency ! Matilde Murano acquiesçait, elle ne s'attendait à rien d'autre. De la main, qui tenait entre deux doigts un petit cigare, elle désignait le village à l'assaut de la Propriété : les toits de tuiles rouges, les bicoques tournées vers le soleil, les baraques préfabriquées. Ça, ça. Quels dégâts, et sa main faisait un large tour de cercle. Sans compter le reste. Le reste, c'était la maison.

La jeune femme avait des larmes d'exaspération dans les yeux. Comment s'en sortir ? Avec les traites impayées. Le Colonel baissait la tête. En vendant Niort et La Lougale ? Le Colonel baissait la tête. Parce que Niort et La Lougale avaient déjà... ? Que voulait-il faire ? Mais qu'il le dise ! Et elle se tournait vers Mademoiselle Pauline. Combien pourrait-on en tirer ? Pas pour faire une affaire, et là, elle ricanait, non, pour COMBLER LE TROU. Mademoiselle Pauline supputait du regard. La maison..., les terres..., ses lèvres se retournaient comme le rebord d'un vase. Qui pourrait s'intéresser à la Propriété ? Une colonie de vacances ? Trop petit. Même en aménageant la ferme ? Même avec la ferme. Un hôtel, une Pension, style Montmorency peut-être ? Que disait le Colonel ! Savait-il de quoi il parlait ? Comparer Montmorency à ça ! Montmorency était dans une ville d'eaux, Montmorency avait une clientèle régulière, Montmorency avait un service exceptionnel. Qui voudrait s'enterrer ici tout l'hiver... Pas fous les gens. Qu'est-ce qu'ils y feraient ? Il leur faudrait une auto, bref, tout ce dont ils pouvaient se passer en ville.

Non, au mieux on pourrait lotir. Il n'était pas près d'arriver, le pigeon qui prendrait tout. A notre époque ! Un rapatrié peut-être ? Et tu crois que les rapatriés ont de l'argent comme ça ? Matilde criait. On verrait dans quel état ils rentreraient, les rapatriés. Et s'il en restait un seul à posséder la somme suffisante, comme il la mépriserait, l'improductive Propriété. T'es-tu seulement demandé à quoi ça ressemblait les propriétés, là-bas ?

On pourrait faire un élevage de chevaux ou de chiens ? Les yeux se tournèrent vers Tiffany. Qu'est-ce qu'elle disait celle-là ? La décence, la simple décence, savait-elle ce que c'était ? La voix de Matilde se calmait, elle détachait ses mots. Tu te tais. Toi, parce que — silence — après ce que tu as fait — silence — la moindre des choses — silence — c'est de TE TAIRE. Mademoiselle Pauline prit Matilde dans ses bras, l'autre se mit à pleurer sur son épaule. Ma pauvre Matilde, ma pauvre petite.

*

Tiffany n'avait que le droit de se taire. Si elle voulait rester avec eux, ce serait en silence et aux aguets. Il fallait qu'elle serve à quelque chose ou à quelqu'un : aller chercher un mouchoir dès qu'un nez éternuait, courir si on sonnait, deviner sur un visage qui se plissait l'oubli qui le contrariait. Alors, tu ne vois pas que ton grand-père a besoin de sa canne ! Mais comment s'appelle la sœur de la femme du Haut Commissaire de Madagascar dont le mari est justement notaire à P. ? Il était épuisant d'être à la merci de tous ces besoins qui éclataient comme des volcans et exigeaient d'être satisfaits sur-le-champ.

Tiffany n'avait que ce qu'elle méritait. Son renvoi, à quelques semaines de la fin de l'année scolaire, lui semblait, à elle aussi, tellement ignominieux qu'elle comprenait que sa mère, avec violence, et les autres, de façon plus feutrée, lui signifient qu'elle avait commis là une faute grave, infiniment grave. Elle ne l'oubliait pas, on ne le lui permettait pas. Et ne m'appelle pas maman, avait crié Matilde. Jusqu'à nouvel ordre, tu ne m'appelles pas maman ? Tiffany mettait tout son effort à ne pas l'appeler du tout. Elle lui disait Madame, comme à une Sanguinaire, elle avait l'habitude.

Au service, tous azimuts. Où ai-je mis mon rouge à lèvres ? la main tendue vers Tiffany. La jeune fille préféra bientôt les lieux d'absence où les voix lui parvenaient de très loin, atténuées par les murs et les portes. La musique de la colère, sans les mots, sans le regard. Curieusement ce fut dans l'escalier, nœud des passages, cœur des fuites, qu'elle se réfugia. On paraissait en bas, Tiffany disparaissait en haut. On bougeait en haut, Tiffany fuyait en bas. Pendant le guet, elle s'asseyait face au miroir, sur l'avant-dernière marche, en bois, et posait ses pieds sur la suivante, en pierre. Ses genoux lui arrivaient sous le menton. Entre la jupe et les chaussettes, ils étaient des objets particulièrement réprouvés, ni chauds, ni froids, rêches, avec la ligne bleuâtre d'une ancienne estafilade et le macaron brun d'une meurtrissure. Elle les enserrait de ses bras et y posait la joue. Le souffle de ses lèvres était incroyablement sensible aux genoux disgracieux.

Un glissement sur le plancher, le heurt de sa jambe valide sur les marches, l'accroc de sa jambe raide sur le bord de la rampe, un mouvement en deux temps, ordonné et prévisible mais qui alertait parce qu'il était déséquilibré. Tiffany regardait descendre son grand-père dans la glace. A partir du palier, elle entendait sa respiration. Il était essoufflé, sa main gauche crispée sur la rampe, il retenait un corps lourd, un pied maladroit. Ils se regardèrent dans la glace et Tiffany, prise d'une faiblesse insigne, eût voulu pleurer et se blottir dans ses bras. Mais il était vieux et fatigué. Elle se poussa pour le laisser passer. Il ne lui dit rien, soufflant un peu plus fort entre ses lèvres. Il ne pouvait rien pour elle. Elle ne devait rien attendre de lui.

Qu'importe, depuis quelques jours, elle se savait frappée à son tour par la maladie du sang. Elle en découvrait le mystère et l'humiliation et s'en enchantait comme d'un signe vivant que sa grand-mère lui aurait adressé de l'au-delà pour l'élire entre tous parce qu'elle l'aimait plus que tout. La réincarnation était accomplie. Madame Désarmoise était entrée en Tiffany jusqu'à la mort.

*

Son après-midi en ville avait détendu Matilde. Elle en revenait auburn avec de petites ailes sur les oreilles, qu'elle aplatissait avec complaisance devant les miroirs. N'était-ce pas trop ? Et la couleur, n'était-ce pas trop ? Mademoiselle Pauline la rassurait. Ce n'était ni trop, ni pas assez. C'était juste pile. Matilde souriait, elle trouvait, elle, que c'était un peu trop, juste un tout petit peu trop. Mais si, devant. Mais non, c'était juste,

juste, juste. Mademoiselle Pauline crevait d'admiration. Devant sa mère rajeunie, Tiffany songeait qu'elle n'était pas différente de ses compagnes de Pension, les héritières de pins landais, les fiancées enrubifiées. Comme Matilde, elles étaient entre le trop et le trop peu. Tendues vers le juste idéal qu'elles atteindraient pour s'y maintenir contre vents et marées.

Le regard dans la glace, Matilde racontait sa journée. D'abord, elle était passée chez les Dames Sanguinaires, elle rapportait des livres, quelques notes à suivre pour rattraper les cours. Elle avait mis la Propriété en vente. Les gens de l'Agence avaient été absolument charmants. Toutes ces décisions l'avaient ragaillardie, elle noyait sa tristesse dans l'action. Elle parlait d'avenir. En la regardant Tiffany se demandait ce qu'elle avait de si fondamentalement différent de Madame Désarmoise. Dans un silence, un creux de la conversation, elle l'observait en myope. Le temps de l'illusion, elle revoyait sa grand-mère à une table de bridge. Trois sans atout. Je contre. Matilde redevenait Matilde. Tiffany fermait les yeux, elle ne voulait pas voir.

Le Colonel Désarmoise irait vivre à la Pension Montmorency. La Propriété finirait par se vendre. En attendant, on déménagerait. Ils partiraient. Tiffany serait reçue au brevet, elle continuerait au lycée. Matilde s'agaçait de ce que ses projets ne fussent déjà réalisés. Elle ne pouvait tenir en place. Elle grattait une allumette, s'asseyait. Sous la table, ses jambes croisées battaient nerveusement. Lorsqu'elle pensait, lorsqu'elle pensait... à tout ce gâchis! Elle avait les larmes aux yeux. Il n'y avait pas de milieu entre son désespoir et le bonheur qu'elle leur promettait.

Elle pleurait, le visage tourné vers la fenêtre. Et le chêne? On ne pouvait pas le laisser comme cela. Aucun visiteur ne s'intéresserait à la maison en voyant ce spectacle désolant. Il faudrait aller chercher les bûcherons pour qu'ils le débitent. Elle voulait voir ça de plus près. Elle sortait. Sur ses talons, Tiffany essayait de lui montrer un trajet qui pût la séduire, l'attacher — si c'était encore possible — à la Propriété, tout en évitant de la faire passer dans les traces de Madame Désarmoise. Elle hésitait. Parfois elle se rendait compte qu'elle y était aussi venue et parce qu'elle ne l'avait pas évoqué depuis longtemps, ce souvenir l'étreignait d'une présence presque charnelle.

Matilde parlait en fumant. Est-ce que Tiffany se rendait compte de la situation dans laquelle elle se mettait, elle les mettait? A la porte, à un mois, que disait-elle, à trois semaines de son examen. Elle avait plaidé pour elle ce matin. Elle serait présentée par les Dames Sanguinaires. On lui évitait la candidature libre. Mais à quoi pensait-elle? Imaginait-elle le bonheur qu'il y aurait eu à se retrouver, mère et fille, comme deux amies? Quel plaisir Matilde s'était fait à cette idée. Deux sœurs! Oui, deux sœurs pour rattraper tout ce temps perdu. Si Tiffany croyait que cela avait été drôle de vivre comme ça. N'importe quelle femme a besoin de son enfant. Quels sacrifices n'avait-elle pas consentis pour que Tiffany fût éduquée loin d'elle. Par moments, n'y tenant plus, elle aurait voulu la faire venir. Mais quoi, les événements, la guerre, l'entourage, le milieu... rien ne valait les Dames Sanguinaires. Et puis aujourd'hui...

Matilde parlait doucement. Tu es méchante, Tiffany, tu es méchante. Elle ne voulait pas remuer de plus anciens souvenirs. Ce qu'elle avait fait là s'inscrivait dans la ligne. Tu t'abonnes ou quoi! En gémissant, elle plaidait pour elle. Est-ce qu'elle n'avait pas TOUT fait? Elle se révoltait. Elle ne méritait pas ça. Tu es mauvaise, qu'est-ce que tu veux que je te dise. Elle criait. Tu es mauvaise. Quand ton père le saura! Folle, va! Ici, c'est la ferme, dit Tiffany d'une petite voix blanche. Cinglée, hurlait Matilde.

*

Plus que quinze jours. Les questions tombaient. Volume du cône. Armées en présence à la bataille d'Eylau. Tiffany ne réagissait pas. Le Colonel répondait à sa place. Tiffany passait la main. Il était question d'abandon, de responsabilité, de situation irréversible. Trop tard, criait Matilde. Mais il ne s'agissait pas seulement de Tiffany, mais du reste, de la guerre qui était la pacification et de la pacification qui n'était pas la guerre. Matilde savait ce qu'elle disait. Le Colonel s'entêtait. Ils s'épuisaient dans cet affrontement stérile. Entre les deux, Mademoiselle Pauline, ange de bonté et de certitude, opinait de la tête : Pourquoi pas la guerre et la pacification ? La guerre, disait Matilde. La pacification, disait le Colonel. C'était l'heure des informations, la voix du speaker recouvrait les leurs. Tu vois ! triomphait le Colonel. Matilde éclatait. Tiffany n'entendait pas sa réponse, dehors les scies, les cognées et les haches avaient repris le débitage. Il ne restait du chêne que des rondins, des billots et des fagots au milieu d'une sciure blonde et odorante.

Ce n'étaient qu'allées et venues, descentes de camions chargés de bois, montées de tracteurs tirant des remorques vides, frottements des pneus d'une voiture inconnue. Sonnette, un coup, deux coups. Les bruits qui montaient arrachaient Tiffany à l'opacité des livres. Ses yeux lisaient, sa bouche formait les mots mais son oreille allait capter plus loin des sons qu'elle ne comprenait pas. Voix proches ou lointaines, devant ou derrière. Chuchotements, rires, tout était lourd d'un sens qu'elle ne pouvait saisir. N'y tenant plus, elle faisait le tour des fenêtres, tâchant d'apercevoir, lorsqu'on le raccompagnerait à sa voiture, la tête du visiteur. A peine une silhouette, serait-ce lui ? Elle restait le front contre la vitre, les yeux dans le vague, ne voyant plus puisqu'elle n'écoutait plus.

Le camion du boucher reculait dans la cour de la ferme pour installer son ouverture face à la porte de l'étable. A l'intérieur du bâtiment les hommes s'agitaient avec des cris, des menaces, des injures. Sous le bâton, les vaches montaient, pattes écartées, lâchant leurs bouses. Cora reculait, refusant de faire le premier pas. Tiffany vint devant elle, lui cachant l'homme qui la tirait par le cou. La vache en la reconnaissant tendit la tête et le museau et expira un air chaud et violent comme la peur et la reconnaissance. Tiffany la prit par la tête à cet endroit où les os saillent sous les yeux. La vache laissa aller sa tête de tout son poids. Tiffany chancela. Elle lui passa le bras autour du cou, et côte à côte elles montèrent, jusqu'au fond du trou noir où les autres vaches attendaient. Maintenant qu'elles étaient toutes rassemblées, Tiffany ressentait un grand calme, un grand apaisement. Elle eût voulu rester là, avec elles, perdue dans l'ombre, allant vers la mort dans une communauté chaude et animale.

En sautant, Tiffany ne savait si elle gardait au creux de la main le souvenir de la robe de Cora ou de celle d'une autre bête. Elle espérait que son geste aveugle, sa caresse, la dernière, était bien allée à sa vache. Sa main était moite avec un parfum d'herbe et de peur. Dans l'énorme vrombissement du moteur qui ébranlait la cabine et puis la remorque, elle crut discerner l'affolement des gros sabots déséquilibrés. Elle se boucha les oreilles. Sa main droite collait un peu.

*

Dans le salon, la tache d'un miroir qui avait été enlevé, une table de bridge à la place de la lourde commode ventrue. La pendule de la salle à manger avait disparu. Dans les armoires, la pile des draps baissait. La maison se vidait. Matilde procédait à un premier choix. Elle meublait les deux pièces du Colonel à la Pension Montmorency. Il fallait qu'il s'y sentît chez lui.

On entreposait les meubles à la salle à manger, au bureau ou au salon, selon qu'ils iraient au garde-meubles, chez Mademoiselle Pauline ou qu'ils finiraient à la salle des ventes. Le beau, le moins beau et l'écume. La répartition n'était pas facile. Tiffany n'était pas la seule à considérer les objets de Madame Désarmoise comme des reliques. Matilde, au-dessus d'une commode, fouillait à pleines mains dans les tiroirs entrouverts, étirant comme des tripes les surtouts de dentelle qui se déchiraient, la nappe qui rendait ses serviettes. Elle les ramassait sur le sol, en tas, et si l'une avait glissé plus loin, au pied d'une chauffeuse, elle l'y laissait. Dix-sept serviettes, bien qu'impair, c'était un chiffre ! Elle s'étonnait du damas si brillant, on n'en faisait plus !

Mais à côté d'une broderie, d'une dentelle, combien de services de tergal commandés, jaune vif, rouge sang, aux Trois Suisses — affaire exceptionnelle, catalogue remboursé à la première commande —, livrait-elle au désir extasié de la fermière et de la bonne. Je prends le jaune, tu prends le rouge. Et ce paquet de torchons tout neufs ? Elles n'osaient pas, il n'y avait pas de raison. Matilde le leur mettait sous le nez, du fil, vous savez ! Mademoiselle Pauline refusait, elle en avait jusque-là !

Prends, allons force-toi. Prends donc, que je

prenne. Tu as pris, n'aies pas de scrupules, je prendrai. Un rien d'enthousiasme et elles se partageaient la nappe. Voilà, bien égal. Et le grand dessin confus, l'arabesque inouïe qui courait le long des dix-huit couverts, se rompait net dans une envolée sans retombée, nu en bout de table. Pour le surtout, pas de danger, sa déchirure récente enlevait aux accrocs anciens le prestige de l'usure. La main de Mademoiselle Pauline le subtilisait, il tenait dans son poing. Elle attirait l'attention sur la serviette abandonnée. Prenez-la, je me contenterai de ça. Le damas craquant l'emportait sur le rien mousseux. Un coup d'œil en coin pour évaluer le bout de dentelle qui dépassait. Accord conclu.

Matilde disait : C'est dur, dur, dur. Elle pleurait devant certains objets sans que l'on sût s'ils lui rappelaient des souvenirs plus intenses ou s'il s'agissait seulement d'exaspération et de fatigue. Elle répétait qu'elle aurait préféré être n'importe où ailleurs. Ici, elle manquait de force et de courage. Les suivantes, qui avaient peur qu'elle renonçât à la tâche et les frustrât de quelques reliefs, l'encourageaient, en la plaignant. Elle n'avait besoin de rien. Oui, oui, gémissait le chœur. Ce qu'elle faisait, c'était pour Tiffany. Pour Tiffany, pour Tiffany psalmodiait le chœur. Pour qu'un jour, elle pût le faire au milieu de ses propres affaires, et de celles de Madame Désarmoise qui auraient pris son odeur et qui se seraient casées entre ses murs. Cela s'appelait hériter et il fallait bien qu'à son tour Tiffany en connût la douleur. La douleur, répétaient-elles, en regardant méchamment Tiffany.

Il n'y avait qu'une victime ce jour, Matilde. Elle allait tristement, elle se sentait si seule. Non, Tiffany ne savait pas ce que c'était. Elle n'avait pas l'expérience directe, celle de la main sur les petites choses, celle de la voix pour indiquer la direction des grosses. Elle n'avait que les yeux, et avec les yeux, ce n'était pas aussi dur. Matilde était tentée de lui faire toucher pour qu'elle sût ce qu'elle endurait. Tu veux un souvenir ?

*

Les tasses fragiles. Une blancheur d'opale sur laquelle tranchaient effilées et en relief leurs initiales, tubéreuses, iris, joncs, herbes folles. Tiffany perdait la trace du T dans celle du D. Tasses transparentes que le café rendait plus blanches. Devenues récipients, elles gagnaient en réalité et leurs initiales confondues prenaient la consistance de son écriture fine et impalpable. Objet si intime qu'on s'étonnait qu'il fût démultiplié, pour que des étrangers posent leurs lèvres sur l'entrelacs des lettres, qu'ils tiennent entre leurs doigts la petite crosse noir et or de l'anse nacrée. Tiffany souriait.

Elle avait inscrit au creux de sa mémoire la forme pleine d'une coupe à facettes, du cristal, et dans ce cristal la lumière bleue d'un jour d'été. En y songeant, la coupe, comme un miroir à sorcière, était rouge. Tiffany se souvenait de

242

tout, bien après que la coupe fut installée entre deux feuilles de mousse dans une caisse remplie de paille. Devant l'objet qui disparaissait, elle ressentait la joie ineffable d'une possession absolue, de retrouvailles intimes avec un lieu qu'elle avait aimé, avec un être qu'elle avait adoré. Et ses mains qui furetaient devant le regard des inquiètes étaient les mains d'autrefois, sur les objets de toujours.

Il y avait eu dans la Propriété deux ordres des choses, l'un statique qui appartenait au regard des étrangers et l'autre mouvant qui était le sien. Car dès qu'elle était seule, les objets bougeaient. Toute son enfance, ils avaient voleté autour d'elle comme dans une scène de lévitation. Sous l'effet de son souffle, tout s'animait. Elle avait vécu dans l'envolée des objets et si ses doigts les saisissaient, ce n'était pas pour les déranger mais au contraire pour freiner leur ronde joyeuse. Elle cueillait ici, replaçait par là. Elle était indispensable à la maison désertée. Bien sûr, c'était elle qui ouvrait les tiroirs, les portes, toutes les portes, celles des corridors, des chambres, des armoires et même celles de dehors qui permettaient aux objets de fuir. Mais elle refermait tout si exactement après ! Une salière n'était jamais revenue.

Douze tasses, une coupe, un vase ! Et quoi encore ? Tiffany savait très bien ce qu'elle voulait. Les ciseaux en forme de cigogne, le renard bleu, le jeu d'échecs... Mais c'était beaucoup trop !... et la pendule qui balance un panier et le mannequin et la travailleuse en tissu et... Cela suffisait, tout le monde semblait choqué par cette attitude aussi indécente que possessive. Mademoiselle Pauline sauva la situation en lui mettant de force entre les mains une bonbonnière. Qu'importe l'objet, les souvenirs éclatent dans les ébréchures.

Elles furent dérangées par les cris de la bonne : Monsieur ! Monsieur ! Il avait tourné de l'œil, le nez pincé, le souffle haché près de la radio qui grondait son reportage guerrier. Elles faisaient cercle autour de lui et le rappelaient à la vie. Il s'éveilla entre deux caisses. Il y avait la guerre. Il voulait partir tout de suite, partir chez Mademoiselle Pauline, se mettre au net, au sec, loin de la marée des meubles. Il voulait foutre le camp. Il larguait la maison, les terres et le reste. Qu'on ne lui parle plus de rien. Il fuyait. Il partait en pyjama, sans chapeau. Il n'avait même pas besoin de son manteau. Il leur laissait les souvenirs.

*

L'enlèvement du mobilier réclamait moins de précautions affectives. Cela ressemblait à un gros ménage comme lorsque la bonne, aidée de la fermière, mettait les meubles dehors, sur la terrasse plus accessible avec ses portes-fenêtres que le corridor étroit. Tout cela était familier. Lorsque la poussière avait été faite, elles remettaient tout en place. L'étrange ce n'était donc pas qu'une pièce fût dégarnie mais qu'elles le fussent toutes simultanément. Dans la cage d'escalier, point stratégique, Taffany, un crayon à la main, surveillait les déménageurs pour qu'ils ne cassent pas ou, Matilde l'avait dit tout bas, qu'ils ne volent rien. Dans les frottements et surtout dans le bruit que faisait l'effort des hommes, elle pensa à la chambre de sa grand-mère et sa panique fut telle qu'elle quitta son poste.

La frise de feuilles de lierre s'arrêtait-elle en haut de la glace ou garnissait-elle aussi les côtés ? C'était le genre de détail auquel on ne prête pas attention car depuis toujours elle n'avait remarqué que le lierre. Et personne n'aurait jamais pu lui dire ce qu'il en était et elle aurait regretté mortellement de ne pas s'en être souciée avant que les déménageurs n'aient entrepris de tout démonter.

Lorsqu'ils entrèrent, Tiffany se dit qu'elle avait encore le temps d'apprendre cette chambre qu'elle connaissait si bien. Elle aurait tout le sursis de leurs gestes. Un temps démesuré sur lequel elle misait, elle rattraperait tout. Elle vit les meubles lui filer sous le nez. La coiffeuse. Un, deux, trois, elle n'avait plus de tiroirs, un ouvrier les avait emportés, le marbre avait suivi, et enfin la glace et le lierre. Elle était surprise, elle ne s'attendait pas à ce qu'ils commencent par là. Mais à la réflexion, elle aurait éprouvé le même déchirement étonné avec n'importe quel meuble. Tous étaient importants.

Elle le vit bien lorsqu'ils s'en prirent au lit. Le bois, le haut, le bas, les côtés, le sommier, le matelas. Ils l'appuyaient en pièces détachées contre le mur. Une minute plus tôt, il occupait le centre de la pièce, il avait encore son couvre-pieds, et pour le démonter les ouvriers avaient soulevé les couvertures... Tiffany avait fermé les yeux. C'était absurde de faiblir ainsi, si elle oubliait un détail, elle ne se le pardonnerait jamais.

Matilde l'appelait dans la pièce à côté. Elle n'avait rien pour écrire son adresse sur des cartons. Elle semblait bien jeune avec son visage sans maquillage, son tablier bleu emprunté à Tiffany. Elle voulait que Tiffany marque Matilde Murano et non Madame Murano. Tu ne mets pas d'h à Matilde ? Il en fallait un ? Bien sûr, pourquoi Matilde sans h ? Tiffany ne savait pas. Peut-être à cause de Mathématiques. Mathématiques ? Elle ne comprenait pas.

Ils avaient déjà tout vidé. Est-ce qu'elle savait ? Est-ce qu'elle saurait pour plus tard, pour l'éternité ? Elle récapitulait : ici le lit, à gauche la coiffeuse, en face l'armoire. Plus loin le petit secrétaire, sur la droite la porte du cabinet de toilette, puis la grande armoire. Ça y était. Elle avait retenu l'essentiel. Le soir, elle répéterait la leçon, par sécurité. Elle devait être très vigilante, peut-être aurait-elle dû tout noter dans un cahier, tracer un plan ? Sur la tapisserie, très petit, au crayon, elle inscrivit la date. Elle confiait à la chambre ses souvenirs.

*

Le grand camion jaune du déménagement était garé le long de la terrasse, si haut qu'il masquait les portes-fenêtres du rez-de-chaussée.

Il ne laissait apercevoir que le premier étage déserté et au-dessus le grenier où les ouvriers s'affairaient autour de Matilde. La maison que le camion cachait en partie semblait basculée ou renversée comme si, pour la vider, on l'avait retournée. Il n'y en aurait plus pour longtemps maintenant. Au grenier il n'y avait que le rebut. Matilde avait tenté d'y sauver quelques vieilleries. Elle y avait renoncé. C'était trop laid.

Il restait beaucoup d'affaires ayant appartenu à Madame Désarmoise. Des vêtements démodés que l'on avait oubliés, tout un passé dont Matilde avait été le seul témoin. Elle était enfant à Cannes avec sa mère. C'est là qu'elles avaient vu les chaussures de lézard vert. La petite fille, ce n'était plus Tiffany à la porte mais elle devant les chaussures. La vendeuse lui avait offert un petit sac de feutrine, exactement du même vert que maman. Il devait être certainement là, avec les souliers.

C'est en fouillant qu'elle commença à mettre du désordre, à éparpiller les vêtements puis à renverser les malles. Les déménageurs demandèrent ce qu'il fallait en faire. Matilde était si préoccupée par sa recherche qu'elle répondit d'en faire n'importe quoi, de JETER. Il est là ! Elle avait retrouvé le sac soigneusement rangé dans un carton, avec une chemise de bébé, un grelot d'os et un petit ours beige. Mon Titi ! s'écria Matilde. Maman m'avait gardé mon Titi !

Le chef d'équipe insista et proposa de faire des paquets pour le brocanteur. Non, s'entêtait

Matilde à quatre pattes au milieu du grenier, il faut jeter. Les ouvriers restaient dans l'expectative. Habitués à empaqueter, cet ordre les embarrassait. Matilde donna l'exemple. Elle alla au fenestron et jeta une brassée d'affaires. Un drap s'ouvrit comme une corolle blanche.

Tiffany descendit au rez-de-chaussée et attendit que le reste passât par les fenêtres. Les déménageurs hésitaient encore. Matilde dut les encourager à plusieurs reprises. Tiffany la voyait qui tenait d'une main son petit ours serré contre son épaule et qui lançait de l'autre. Ce ne fut pas aussi joli que le drap. La chute fut plus sèche. Tiffany comprit au fracas de verre que les objets prenaient le même chemin.

Ce bruit réveilla les ouvriers. Ils se mirent eux aussi à jeter. Ils se bousculaient pour arriver aux fenestrons. Tiffany entendit leurs rires lorsqu'ils balancèrent le mannequin de Madame Désarmoise. Matilde les excitait avec des mots de petite fille, de toute petite fille.

A cette allure cela se termina vite et bien, à part l'accident d'un homme de peine qui s'était blessé à un carreau cassé. Il saignait si fort que son sang dégoutta sur la terrasse. Le soir tombait. Le grand camion fit une lente marche arrière sur le gravier et s'engouffra un peu ivre dans l'allée, il était si chargé. La maison s'était redressée, haute et fière. Les objets épars, les verres brisés, les cartons éventrés, les cageots disloqués et les malles écrasées n'y faisaient rien. Elle était haute et fière.

Fini, dit Matilde en battant des mains.

DU MÊME AUTEUR

Aux Éditions Gallimard

OUREGANO, *roman*.

BALTA, *roman*.

UN MONDE À L'USAGE DES DEMOISELLES, *essai*.

WHITE SPIRIT, *roman*.

COLLECTION FOLIO

Dernières parutions

2001. Reiser   *Vive les femmes !*
2002. F. Scott Fitzgerald   *Le dernier nabab.*
2003. Jerome Charyn   *Marilyn la Dingue.*
2004. Chester Himes   *Dare-dare.*
2005. Marcel Proust   *Le Côté de Guermantes* I.
2006. Marcel Proust   *Le Côté de Guermantes* II.
2007. Karen Blixen   *Le dîner de Babette.*
2008. Jean-Noël Schifano   *Chroniques napolitaines.*
2009. Marguerite Duras   *Le Navire Night.*
2010. Annie Ernaux   *Ce qu'ils disent ou rien.*
2011. José Giovanni   *Le deuxième souffle.*
2012. Jan Morris   *L'énigme (D'un sexe à l'autre).*
2013. Philippe Sollers   *Le Cœur Absolu.*
2014. Jacques Testart   *Simon l'embaumeur (ou La solitude du magicien).*
2015. Raymond Chandler   *La grande fenêtre.*
2016. Tito Topin   *55 de fièvre.*
2017. Kafka   *La Métamorphose et autres récits.*
2018. Pierre Assouline   *L'homme de l'art (D.-H. Kahnweiler 1884-1979).*
2019. Pascal Bruckner   *Allez jouer ailleurs.*
2020. Bourbon Busset   *Lettre à Laurence.*
2021. Gabriel Matzneff   *Cette camisole de flammes (Journal 1953-1962).*
2022. Yukio Mishima   *Neige de printemps (La mer de la fertilité, I).*

2023. Iris Murdoch — *Pâques sanglantes.*

2024. Thérèse
de Saint Phalle — *Le métronome.*

2025. Jerome Charyn — *Zyeux-Bleus.*

2026. Pascal Lainé — *Trois petits meurtres... et puis s'en va.*

2027. Voltaire — *Dictionnaire philosophique.*

2028. Richard Bohringer — *C'est beau une ville la nuit.*

2029. Patrick Besson — *Ah ! Berlin et autres récits.*

2030. Alain Bosquet — *Un homme pour un autre.*

2031. Jeanne Bourin — *Les amours blessées.*

2032. Alejo Carpentier — *Guerre du temps et autres nouvelles.*

2033. Frédéric H. Fajardie — *Clause de style.*

2034. Albert Memmi — *Le désert (ou La vie et les aventures de Jubaïr Ouali El-Mammi).*

2035. Mario Vargas Llosa — *Qui a tué Palomino Molero ?*

2036. Jim Thompson — *Le démon dans ma peau.*

2037. Gogol — *Les Soirées du hameau.*

2038. Michel Déon — *La montée du soir.*

2039. Remo Forlani — *Quand les petites filles s'appelaient Sarah.*

2040. Richard Jorif — *Le Navire Argo.*

2041. Yachar Kemal — *Meurtre au marché des forgerons (Les seigneurs de l'Aktchasaz, I).*

2042. Patrick Modiano — *Dimanches d'août.*

2043. Daniel Pennac — *La fée carabine.*

2044. Richard Wright — *Fishbelly (The Long Dream).*

2045. Pierre Siniac — *L'unijambiste de la cote 284.*

2046. Ismaïl Kadaré — *Le crépuscule des dieux de la steppe.*

2047. Marcel Proust — *Sodome et Gomorrhe.*

2048. Edgar Allan Poe — *Ne pariez jamais votre tête au diable et autres contes non traduits par Baudelaire.*

2049. Rachid Boudjedra — *Le vainqueur de coupe.*

2050. Willa Cather — *Pionniers.*

2051. Marguerite Duras — *L'Eden Cinéma.*

2052. Jean-Pierre Enard — *Contes à faire rougir les petits chaperons.*

2053. Carlos Fuentes — *Terra Nostra, tome 1.*

2054. Françoise Sagan — *Un sang d'aquarelle.*

2055. Sempé — *Face à face.*

2056. Raymond Chandler — *Le jade du mandarin.*

2057. Robert Merle — *Les hommes protégés.*

2059. François Salvaing — *Misayre ! Misayre !*

2060. André Pieyre de Mandiargues — *Tout disparaîtra.*

2062. Jean Diwo — *Le lit d'acajou (Les Dames du Faubourg, II).*

2063. Pascal Lainé — *Plutôt deux fois qu'une.*

2064. Félicien Marceau — *Les passions partagées.*

2065. Marie Nimier — *La girafe.*

2066. Anne Philipe — *Je l'écoute respirer.*

2067. Reiser — *Fous d'amour.*

2068. Albert Simonin — *Touchez pas au grisbi !*

2069. Muriel Spark — *Intentions suspectes.*

2070. Emile Zola — *Une page d'amour.*

2071. Nicolas Bréhal — *L'enfant au souffle coupé.*

2072. Driss Chraïbi — *Les Boucs.*

2073. Sylvie Germain — *Nuit d'ambre.*

2074. Jack-Alain Léger — *Un ciel si fragile.*

2075. Angelo Rinaldi — *Les roses de Pline.*

Impression Bussière à Saint-Amand (Cher),
le 22 août 1989.
Dépôt légal : août 1989.
Numéro d'imprimeur : 8514.
ISBN 2-07-038203-6./Imprimé en France.

46634